U0064631

劉福春・李怡 主編

民國文學珍稀文獻集成

第一輯

新詩舊集影印叢編　第17冊

【俞平伯卷】

冬夜

上海：亞東圖書館 1922 年 3 月版

俞平伯　著

花木蘭文化出版社

國家圖書館出版品預行編目資料

冬夜／俞平伯 著 -- 初版 -- 新北市：花木蘭文化出版社，2016
〔民 105〕
290 面；19×26 公分
(民國文學珍稀文獻集成・第一輯・新詩舊集影印叢編 第 17 冊)
ISBN：978-986-404-622-5（套書精裝）
831.8 105002931

民國文學珍稀文獻集成・第一輯・新詩舊集影印叢編（1-50 冊）
第 17 冊

冬夜

著　　者　俞平伯
主　　編　劉福春、李怡
企　　劃　首都師範大學中國詩歌研究中心
　　　　　北京師範大學民國歷史文化與文學研究中心
　　　　　（臺灣）政治大學民國歷史文化與文學研究中心
總 編 輯　杜潔祥
副總編輯　楊嘉樂
編　　輯　許郁翎
出　　版　花木蘭文化出版社
社　　長　高小娟
聯絡地址　235 新北市中和區中安街七二號十三樓
　　　　　電話：02-2923-1455／傳眞：02-2923-1452
網　　址　http://www.huamulan.tw 信箱 hml 810518@gmail.com
印　　刷　普羅文化出版廣告事業
初　　版　2016 年 4 月
定　　價　第一輯 1-50 冊（精裝）新台幣 120,000 元

冬夜

俞平伯 著

俞平伯（1900-1990）原名俞銘衡，生於江蘇蘇州。

亞東圖書館（上海）一九二二年三月初版。原書橫三十二開。

冬夜
平伯作

冬夜付印題記

花影底淖約，
却是銀灰色的。
影兒雖礙花啊，
花終不願拋撇她依依的影。

俞平伯

二二年，二月七日，

杭州城頭巷。

自序

冬夜出版了。三年來的詩，除掉幾首被刪以外，大致都彙在這本小書裏。

我所以要印行這本詩集：一則因爲詩壇空氣太岑寂了，想借冬夜在實際上，做「秋蟬底辨解」；（這是我答周作人先生的一篇小文，去年在北京晨報上登載。）二則願意把我三年來在詩田裏的收穫，公開於民衆之前。至於收穫的是稻和麥，或者只是些野草，我却不便問了，只敬盼着讀者底嚴正評判罷。

如果是個小小的成功，我不消說是喜悅的；卽使是失敗，也可以在消極方面留下一些暗示。只要冬夜在世間，不引着人們向着老衰的途路，就可以慰安我底心。至於成功與否，成功到了什麼程度，這些却非我所介意的事。

關於詩底我見，不便在這篇小序裏贅說；現在只把我所經驗到的，且眞切相信的略敘一點，作爲本集底引論。

我懷抱着兩個做詩的信念：一個是自由，一個是眞實。做詩原是件具體的事情，很難用什麼抽象概念來說明他。但若不如此，又很不容易有概括的說明，只要不十分拘執着，我想也或無礙的。

我不願顧念一切做詩底律令，我不願受一切主義底拘牽，我不願去摹做，或者有意去創造那一詩派。我只願隨隨便便的，活活潑潑的，借當代的語言，去表現出自我，在人類中間的我，爲愛而活着的我。至於表現出的，是有韻的或無韻的詩，是因襲的或創造的詩，即至於是詩不是詩；這都和我底本意無關，我以爲如要顧念到這些問題，就可根本上無意於做詩，且亦無所謂詩了。即使社會上公認是不朽的詩；但依我底愚見，或者竟是謬見，總是「可憐無補費精神」的事情。我們不妨先問一下：『人爲什麼要做詩？』

眞實和自由這兩個信念，是連帶而生的。因爲眞實便不能不自由了，惟其自由才能夠有眞正的眞實。我寧說些老實話，不論是詩與否，而不願做虛偽的詩；一個只占有詩底形貌，一個卻占有了內心啊。什麼是詩？本不易有滿意的回答。若說非謹守老師，太老師底格律，非裝點出誇張眩耀的空氣，便不算是詩；那麼，我嚴正聲明我做的不是詩，我們做的不是詩，并且願意將來的人們，都不會，亦不屑去做詩。

詩是為詩而存在的，藝術是為藝術而存在的；這話我一向懷疑。我們不去討論，解決怎樣做人的問題，反而曉曉爭辨怎樣做詩的問題，真是再傻不過的事。因為如真要徹底解決怎樣做詩，我們就先得明白怎樣做人。詩以人生底圓滿而始圓滿，詩以人生底缺陷而終於缺陷。人生譬之是波浪，詩便是那船兒。詩底心正是人底心，詩底聲音正是人底聲音。「不失其赤子之心」的人，才是真正的詩人，不死不朽的詩人。即使他沒有詩篇留着，或者竟沒有做詩，依然是個無名的詩人；因為他占領了詩人底心。我反對詩人底僭號，什麼人間底天使，先知先覺者……，我只承認他是小孩子的成人。

在冬夜所有的詩，說起來是很慚愧啊。第一輯裏的，大都是些幼稚的作品，本沒有留稿的價值，只因可以存我最初學做詩底眞相，所以過存而不删。第二輯裏的，作風似太煩瑣而枯燥了，且不免有些晦澀之處。這一輯裏長詩最多　三四兩輯都是去年做的。三輯底前半尚存二輯底作風。後半似乎稍變化一點，像淒然，小劫等篇，都和二輯所有的不同。四輯從打鐵起，這正當我做詩底進化的還原論這個時候，所以有幾首詩，如打鐵，挽歌，一勺水啊，最後的洪爐，稍有平民的風格，但是亦不能純粹如此，這是我最遺憾的！

我雖主張努力創造民衆化的詩，（見詩第一期。）在實際上做詩，還不免沾染貴族的習氣；這使我慚愧而不安的。只有一個牽強辨解，或者可以如此說的，就是正因爲我太忠實守着自由和眞實這兩個信念。所以在冬夜裏，這一首和那一首，所表現的心靈，不免常有矛盾的地方；但我却把他們一齊收了進去。自我不是整個兒的，也不是絕對調和的。有多方面的我，就得有多方面的詩，這是平常而正當的。『在不相識不相妨的路上，自然涌現出香色遍滿的花兒底都！』

小小的集子，充滿了平庸蕪雜的作品，將占據了讀者們底可貴的光陰，眞是我底罪過了！但我以爲我底嘗試底失敗，在於我根性上底無力，而不專在於詩底不佳。我始終以爲這種做詩底態度極爲正當。我總想很自由的，把眞的我在作品中間充分表現出來。雖說未能如意，但心總常向着這條路上去。這或者可以請求讀者們底寬恕，減少我冒昧出版冬夜底罪過了。

在付印以前，承他底敦促；在付印之中，幫了我許多的忙，且爲冬夜做了一篇序。這使我借現在這個機會，謹致最誠摯的感謝於朱佩弦先生。我又承勞長環君爲我鈔集原稿至於兩次，這也是我應該致謝的。

俞平伯

一九二二，一，二十五，於杭州城頭巷。

序

在才有三四年生命的新詩裏，能有平伯君冬夜裏這樣作品，我們也稍稍可以自慰了。

從五四以來，作新詩的風發雲動，極一時之盛。就中雖有鄭重將事，不苟製作的；而信手拈來，隨筆塗出，潦草敷衍的，也真不少。所以雖是一時之「盛」，却也祇有「一時」之盛；到現在——到現在呢，詩爐久已灰冷了，詩壇久已沈寂了！太沈寂了，也不大好罷？我們固不希望再有那虛浮的熱鬧，却不能不希望有些堅韌的東西，支持我們的壇坫，鼓舞我們的興趣。出集子正是很好的辦法。去年祇有嘗試集和女神，未免太孤另了；今年草兒，冬夜先後出版，極是可喜。而我於冬夜裏的作品和他們的作者格外熟悉些，所以特別關心這部書，於他的印行，也更為欣悅！

平伯三年來做的新詩，十之八九都已收在這部集子裏；祇有狠少的幾首，在編輯時被他自己删掉了。平伯底詩，有些人以爲艱深難解，有些人以爲神秘；我却不曾覺得這些。我仔細地讀過冬夜裏每一首詩，實在嗅不出什麼神秘的氣味；况且作者也極反對神秘的作品，曾向我面述。或者因他的詩藝術精鍊些，表現得經濟些，有彈性些，匆匆看去，不容易領解，便有人覺得如此麼？那至多也祇能說是「艱深難解」罷了。但平伯底詩果然「艱深難解」麼？據我的經驗，祇要沈心研索，便也容易了然；作者底「艱深」，或竟由於讀者底疏忽哩。這個見解也許因爲我性情底偏好；但便是偏好也好，在冬夜發刊之始，由我略略說明所以偏好之故，於本書底性質，或者不無有些闡發罷。所以我在下面，便大胆地一貢其「一得」之愚了。

我心目中的平伯底詩，有這三種特色：一，精鍊的詞句和音律；二，多方面的風格；三，迫切的人的情感。

攻擊新詩的常說他的詞句沓冗而參差，又無鏗鏘入耳的音律，所以不美。關於後一層，已頗有人抗辯；而留心前一層的似乎還少。杏允和參差底反面自然是簡鍊和整齊。這兩件是言語裏天然的性質：文言也好，白話也好，總缺不了他們；斷不至因文言改爲白話而就有所損失。平伯底詩可以作我們的佐證。他詩裏有種特異的修詞法，就是偶句。偶句用得適當時，狠足以幫助意境和音律底凝鍊。平伯詩裏用偶句極多，也極好。如：

「…………
是平着的水？
是露着的沙？
平的將被陂了，
露的將被淹了。
…………」
（潮歌）

「…………
白漫漫雲飛了；
皺疊疊波起了；

冬夜　廖　國

花喇喇枝兒擺，葉兒掉了。

……………」

（風底話）

「……………

由着他，想呵，

恍惚惚一個她。

不由他，誰能，

清楚楚一個我。

……………」

（僅有的伴侶）

「……………

雲——他眞閒呵！

上下這隄塹，浮着人哄哄的響。

水——他眞忙呵！

視野分際，疏朗朗的那帆檣。」

（潮歌）

『……………
我走我的路，
你，你的。
……………』

（風底話）

密織就的羅紋，
亂拖着的絮痕，
……………』

（僅有的伴侶）

說新詩不能有整齊的格調的，看了這些，也可以釋然了。這種整齊的格調確是平伯詩底一個特色。至於簡鍊的詞句，在他的詩中，更是隨在而有。姑隨便舉兩個例：

『呀！霜掛着高枝，
雪上了蓑衣，
遠遠行來彷彿是。

一簇兒，一堆兒，
齊整整都拜倒風姨裙下——拜了風姨。
好沒骨氣！
呸！蘆兒白了頭。

是游絲？素些；雪珠兒？細些。
迷離——不定東西，讓人家送你。
怎沒主意？
看哪！蘆公脫了衣。

（蘆）

天外的白雲，
牕面前綠洗過的梧桐樹；
雲儘悠悠的游着，
梧桐呢，自然搖搖擺擺的笑啊！
這關着些什麼？且正遠着呢！
是的，原不關些什麼！

……」

（樂觀第一節）

這兩節裏，任一行都經搥鍊而成，所以言簡意多，不豐不嗇，極攝斂，蘊蓄之能事；前人說，「納須彌於芥子」，又說，「尺幅有千里之勢」，這兩節庶乎仿彿了。至於音律，平伯更有特長。新詩底音律是自然的，鏗鏘的音律是人工的；人工的簡直，感人淺，自然的委細，感人深：這似乎已不用詳說的。所謂「自然」，便是「宜之於口而順，聽之於耳而調」底意思。但這裏的「順」與「調」也還有個繁簡，粗細之殊，不可一概而論。平伯詩底音律似乎已到了繁與細底地步；所以凝鍊，幽深，綿密，有「不可把捉的風韻」。如風底話，黃鵠，春裏人底寂寥底首章末節等。而用韻底自然，也是平伯底一絕。他詩裏用韻底處所，多能因其天然，不露痕跡；狠少有「生硬」，「疊響」，（韻促相逼，叫作疊響）「單調」等弊病。如小劫，淒然，歸路等。今舉小劫首節為例：

「雲皎潔，我的衣，
霞爛縵，我的裙裾；
終古去翺翔，
隨着蒼蒼的大氣。
爲甚麼要低頭呢？
哀哀我們的無儔侶。
去低頭，低頭看——看下方；
看下方啊，吾心震蕩；
看下方啊，
撕碎吾身荷芰底芳香。」

看這嘽緩舒美的音律是怎樣地婉轉動人啊。平伯用韻，所以這樣自然，因爲他不以韻爲音律底唯一要素，而能於韻以外求得全部詞句底順調。平伯這種音律底藝術，大概從舊詩和詞曲中得來。他在北京大學時看舊詩，詞，曲狠多；後來便就他們的腔調去短取長，重以己意鎔鑄一番，便成了他自己的獨特的音律。我們現在要建設新詩底音律，固然應該參考外國詩歌，却更不能丟了舊詩，詞，曲。舊詩，詞，曲底音律底美妙處，易為我們領解，採用；而外國詩歌因為語言底睽異，就艱難得多了。這層道理，我們讀了平伯底詩，當更瞭然。

平伯詩底第二種特色是風格底變化。風格是詩文裏作者個性底透映。個性是多方面的，風格也該是多方面的。但因作者環境，情思和表現力底偏畸的發展，風格受了限制：所以一個作家很少有多樣的風格在他的作品裏。這個風格底專一，好處在有一方面的更深廣的發展，壞處便是「單調」。我一年前讀太戈爾底偈壇伽利，一氣讀了二十餘首，便覺有些厭倦。太戈爾底詩何嘗不好？只是這二十餘首風格太相同了，不能引起複雜的刺激，所以便覺乏味。平伯底詩却多少能戰勝這乏味；牠們有十餘種相異的風格。約略說來，冬夜之公園，春水船等有質實的風格；僅有的伴侶，哭聲等有委婉，周至的風格；潮歌，孤山聽雨等有活潑，美妙的風格；破曉，鷄鷹吹醒了的等有激越的風格；凄然有纏綿悱惻的風格；黃鵠，小劫，歸路有哀傷，飄逸的風格；願你有曲折的風格；一勺水啊，最後的洪爐等有單純的風格；打鐵有眞摯，普遍的風格。在五六十首詩裏，有這些種相異的風格，自然使有繁複，豐富的趣味。我喜歡讀平伯底詩，這正是一個緣故。

選金藏集（Golden Treasury）的巴爾格來夫（Palgrave）說抒情詩底主要成分是「人的熱情底色彩」（Color of Human Passion）。在我們的新詩裏，正需要這個「人的熱情底色彩」。平伯底詩，這色彩頗濃厚。他雖作過幾首純寫景詩，但近來很反對這種詩；他說純寫景詩正如攝影，沒有作者底性情流露在裏面，所以不好。其實景致寫到詩裏，便已通過了作者底性格，與攝影底全由物理作用不同；不過沒有迫切的人的情感罷了。平伯要求這迫切的人的情感，所以主張作寫景詩，必用情景相融的寫法；凄然便是一個成功的例子。也因了這「人的情感」，平伯他極同情於一般被損害者；從鷂鷹吹醒了的，無名的哀詩，哭聲諸詩裏，可以深摯地感到這種熱情。這是平伯詩底第三種特色。

以上是我個人的一孔之見，有無誤解或誤估底處所，還待作者和讀者底判定。但有一層，得加說明。我雖佩服平伯底詩，却不敢說冬夜便是止境。因爲就他自己說，這祇是第一詩集；他將來的作品必勝於現在，必要進步。就詩壇全部說，我們也得要求比他的詩還要好的詩。所以我於欽佩之餘，還希望平伯繼續地努力，更希望詩壇全部協同地努力！

然而現在，現在呢，在新詩才誕生了三四年以後，能有冬夜裏這樣作品，我們也總可以稍稍自慰了！

朱自清。

一九二二，一，二三，揚州，禾稼巷。

冬夜目錄

第二輯

第三輯

第四輯

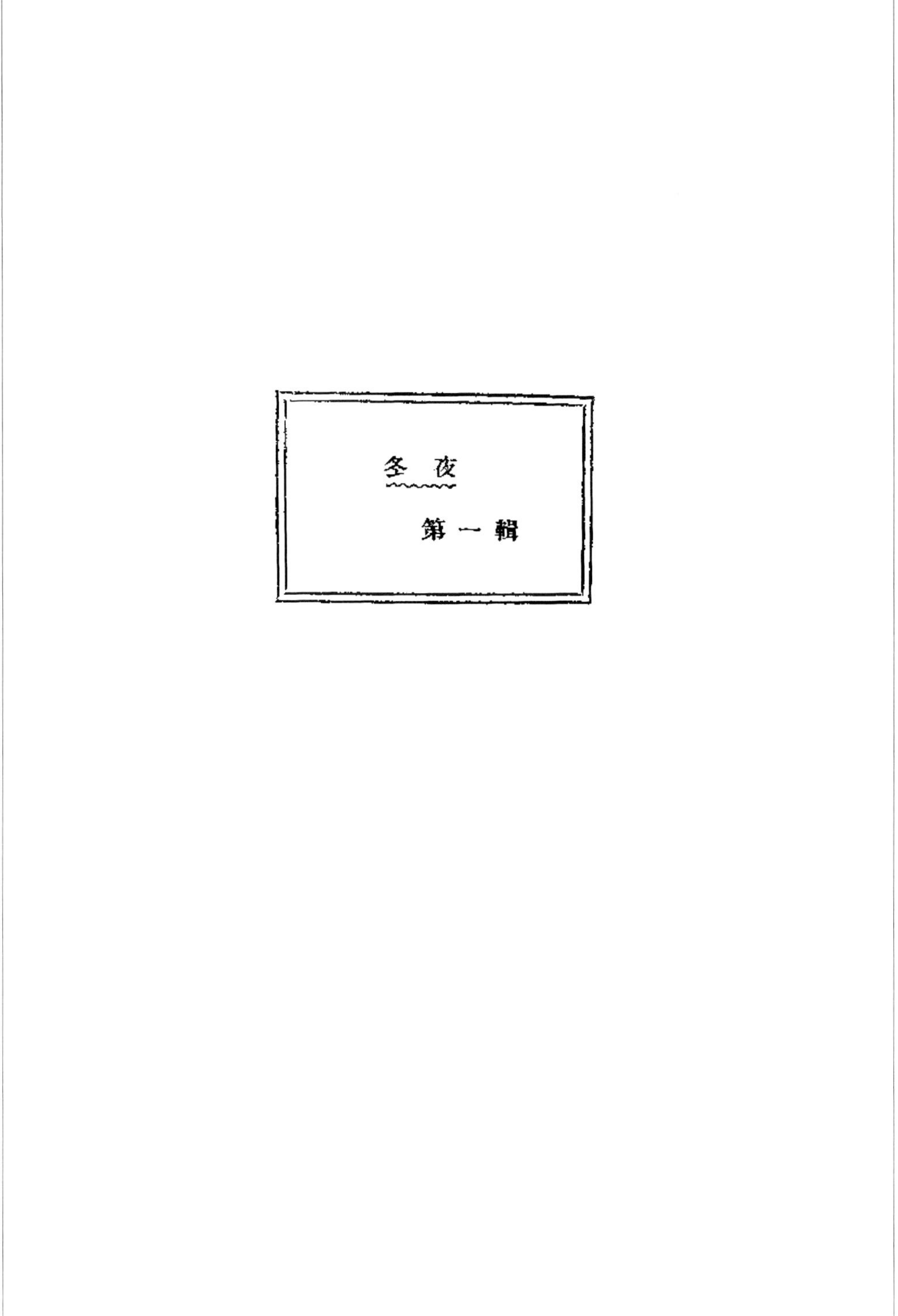

冬夜

第一輯

冬夜之公園

啞！啞！啞！
隊隊的歸鴉，相和相答，
淡茫茫的冷月，
襯着那翠疊疊的濃林，
越顯得枝柯老態如畫。

兩行柏樹，夾着蜿蜒石路，
竟不見半個人影，
抬頭看月色，
似煙似霧朦朧罩着，
遠近幾星燈火，
忽黄忽白不定的閃爍——
格外覺得清冷。

鴉都睡了；滿園悄悄無聲。
惟有一個突地裏驚醒，
這枝飛到那枝，
不知爲甚的叫得這般淒緊？
聽他彷彿說道，
「歸呀！歸呀！」

一九一八，十二，廿五，北京。

春水船

太陽當頂，晌午的時分，
春光尋遍了海濱。
微風吹來，
聒碎零亂，又淸又脆的一陣。
呀！原來是鳥——小鳥底歌聲。

我獨自閒步沿着河邊，
看絲絲縷縷層層叠叠浪紋如織，
反激着陽光閃爍，
辨不出高低和遠近，
只覺得一片黃金般的顏色。

對岸的店鋪人家，來往的帆檣，
和那看不盡的樹林房舍，——

擺列着一線——
都浸在暖洋洋的空氣裏面。

我只管朝前走，
想在心頭，看在眼裏，
細嘗那春天底好滋味。
對面來個縴人，
拉着個單桅的船徐徐移去。
雙櫓插在舷唇，
皺面開紋，活活水流不住。

船頭曬着破網，
漁人坐在板上，
把刀劈竹拍拍的響。
船口立個小孩，又憨又蠢，
不知為什麼？

笑迷迷痴看那黃波浪。

破舊的船，
艙裏的他倆，
但這種「浮家泛宅」的生涯，
偏是新鮮，乾淨，自由，
和可愛的春光一樣。

歸途望——
遠近的高樓，
密重重的簾幕，
儘低着頭呆呆的想！

——一九一九之春，天津。

他們又來了

來！來！
媽看，快看！
路邊一個五六歲的窮孩子，
小臉胖胖的，小手黑黑的；
跟着個中年的女人。

的囊！的囊！
兩個灰色衣的人，夾着個少年，
路那頭走來；
鎗上閃着刺刀底光。

「怪可怕的，
孩子：我們回去罷！」
「媽！您怕！怕什麼？

你看——我！」

孩子提他拳頭，挺着胸，鼓着嘴，
一步——兩步——學他們走道。
遠了——遠了，
一陣陣皮鞋底聲音；
街上湊熱鬧的人，
瞅着他都笑了；
大家忘了剛才的事。

白淡淡的太陽，
斜曬在石骨𡾊峋，那長街上。
三三四四的人影兒，跟他動遊。
娘兒倆拉着手走，也慢慢家去。

灰色衣的人幹嗎來的呢？

小心裏老不明白。
他想知道，
誰都想知道，
但是——誰知道呢！

走不上十家門面，大家回頭。
孩子底聲音，
『他們又來了！』

——一九一九，六，北京。

送金甫到紐約

我和你！我和你！
一年，兩年，三年，
同學的光陰閃電似的過去，
不住的回想，又何必回想；
只要大家深深地把握着，
我和你啊，珍重！珍重！

黑沈沈海水，碧翁翁大氣，你底途程；
到了——浮游着顆血赤的明星。
我呢，蜷伏在灰色城闉裏。
管那黃沙風底泥土滋味，
睜眼看白鐵黃金揚眉吐氣。

你已走遠了，我不能送你。

我願你——願你底前途，揚子江般的長；
你底襟懷，太平洋般的廣。

誰不說是夢是幻想；
但我覺得眞正人世底光明，
偏繫在永遠的希望上。
走不到的止境，只是那程途。
幸福！歡愉！在這裏？
是——是啊！

金甫，金甫，
跟他去，跟他去哪！
和船兒一樣，和浪兒一樣！

我盼望再見面的時節，
都還是小孩子底心境，

在面前閃閃放希望底光；
攜手在無盡的路途上，
向無限的光明去，
我們倆！我們倆！

一九一九，十，北京。

牆頭

牆頭——黃黃的下弦月，
階前——沙沙幾堆敗葉；
小小的我背着月兒，踏着葉兒，跟着影兒，
戀着，守着，傍着；
還有打更的哥哥，
三聲五聲的隔街作着。

月斜了，風定了，人睡了，
這那染不就的濃藍天清冷冷罩着。

一九一九，十，——北京。

小伴

魚白天色射出晶瑩的太陽，
朦朧朝霧慢慢消散，
家家樹梢頭屋角尖掛些黄金影。
遠遠鷄亂鷄鳴，
更帶齊底下——
高低，來往，穿梭織着，迴環繞着，吉吉聒聒的麻雀聲。
阿呀！天明了！
偏簾幕垂垂，門兒悄悄！
想那甜睡的人兒驚覺；
『真煩惱，可厭的煩惱！』
誰都罵你。
但那尖碎音波底顫動，

直打破千重萬重，
黑漆漆的空幻支離大夢。

起來！可愛的睡人兒，
起來呢，起來呢！

——一九一九，十，廿五，北京。

菊

軟洋洋的葉，
托着疏剌剌的花，
對着呆鈍鈍的人。
昂着頭她笑我；低着額她怕我；
歪着腰她躲我；扭着身她厭我；閉着眼睛不願見我。
纔她不倸我，問她不答我。
燈光明明的照着我和她，
誰不說咱倆是朋友！
『不是，』我不願說。
『是呀！』我又不敢說。
况她沒有說什麽，
我還說些甚麽呢！
只暫守着清清冷冷，悄悄綿綿的秋夜，
的搭的搭一秒兩秒的過去。

說近——何嘗不是眼前，
遠——天邊。
我——她好比隔條河，
沒有橋兒跨，船兒搖。
金的黃，玉的白，深紅淺紅，
我眼裏感她；
花冠，葉綠，雌雄蕊兒，
我心裏識她。
但她底天眞，
偏被濃脂淡粉層叠叠遮遮掩掩。
她是怎樣？究竟怎樣？
我却不知道。
她怎不恨我，厭我，遠我，
誰是蠢人？
她嗎？我呢！

她爲她生，沒有爲我；
無我亦可有她，有她且不關我。
栽在盆中，插在瓶中；
我底歡欣，她底悲痛。
這算什麼，成個什麼呢！
唉！已前的，已前的幻夢，
都該拋棄，該都拋棄。
那裏有河流？
誰要橋兒！誰要船兒！

「山頭，田畔，河邊，
你老家！
去呀！去!!我送你！」

——一九一九，十一，五，北京。

蘆

呀！霜掛着高枝，雪上了蓑衣，
遠遠行來仿彿是。
一簇兒，一堆兒，
齊整整都拜倒風姨裙下——
拜了風姨。
好沒骨氣！
呸！蘆兒白了頭。

是游絲？柔些；
雪珠兒？細些。
迷離——不定東西，
讓人家猜你。
怎沒主意？
看哪！蘆公脫了衣。

一九一九，十一，七，通州道上。

草裏的石碑和贔屭*

贔屭馱着高大的石碑，
野草蓬蓬亂岔在四圍。
不知誰底碑？
誰立的？誰做的？誰刻的？
他們骨頭爛了，
偏留這個害贔屭！

日子久了，他倆白臉皮變黑；
只有野草青了黃，黃了青，
一年又一年。

石碑高高占在上面兀自不動，
贔屭悶急了歎氣——哼哩，哼哩。
野草笑了笑，『你是喜歡負重的！』

『冤枉！何嘗如此！』
『幹嗎不動呢？』
『我怕他，我沒有力氣！』
『試試看，不妨的！』

他只是胆小，儘想儘歎氣；
石碑還蹲在他背上，
野草也是呆呆地。

※贔屭音『·ㄆㄧ·ㄒㄧ』。

一九一九，十一，七，北京。

風底話

白雲粘在天上，
一片一團的嵌着堆着。
小河對他，
也板起灰色臉皮不聲不響。

枝兒枯了，葉兒黃了，
但他倆忘不了一年來的情意，
願廝守老醜的光陰，
安安穩穩的挨在一起。

白漫漫雲飛了；
皺疊疊波起了；
花喇喇枝兒擺，葉兒掉了。
聽哪！那邊！

呼呼，呼呼，
不做美的！……不做美的！……

葉兒花花的風前亂轉，
還想有幾秒鐘的留戀；
只是灰沙捲他，車輪碾他，馬蹄兒踹他，
沒有法兒懶洋洋的跟着走，
推推擠擠住住行行，越去越遠。

幾枝瘦骨，光光的枝兒，
留在風中搖動。
他心裏直想：
好時光遠了，
「被風拂水」的姿容久已消散，
就是幾瓣黃葉兒也分手別離。
風呵！無情的你！

好朋友！我是永遠如此的；
沒有恨着誰，沒有愛着誰，
只一息不息的終年流轉。
向前！向前！
我底事！
我和你——他們大家底事！

河岸頭幾尺高的枝枒，
天天見你，
現在成了似繖般的大樹；
不該謝我嗎？
我曾經催你發新，助你長成，
才有今天的你；忘了我嗎？
我本無心也不爲你，
你莫謝我莫怨我。

只那無窮極的自然，
高高籠罩我和你。
你謝——謝他！
怨——怨他！

痴人！想守着你底朋友，
終老在枯槁的生涯裏。
眞能夠？眞願意？
前邊——擺列着無盡的春夏，無盡的秋冬。
努力去呀！莫悞了自己底生長！
我走我底路；
你，你底。
朋友，再見！
‥‥‥‥‥‥‥‥‥‥‥‥‥‥
風兒呼呼的，
枝兒索索的。

一九一九，十一，十八，北京。

和你撒手

四年半的居停，
今天，『再會！』
迷迷的霰氣，
浮動瀰漫了九城。
曉色破了，
只「嗚」的一聲，衝裂了白霧，
便曲折的牆垛兒落後。

間不斷留不住的他們倆——，
我只好跟着去；
脚下風旋的飛走，
腦中游絲的漾起。
感着——這些；
想着有那些。

月月年年的嫌厭，
一去蕭然，那該有留意！
但我怎能夠啊？
雖然——終久和你撒手！

誤亂的回憶，狹小的情緒，
這些不過是；
覺醒了的朋友們說。
不信他，還信什麼？
信了他，我還浮游着；
信他又爲什麼？
反正！認不清楚的主人翁，
做不窮盡的奴隸；
鐵鍊緊鎖住一生，
雖然——終久和你撒手！

白的變灰，
灰的漸變黑，
車窗外：
淡淡天低籠着，
蒼蒼樹遠列着，
澄澄的原野平勳着，
不住的映發流轉，
彷彿要猜破那猜不破的消息。

一九一九，十二，二十四，
——去北京作於津浦道中。

冬夜　第一輯　三〇

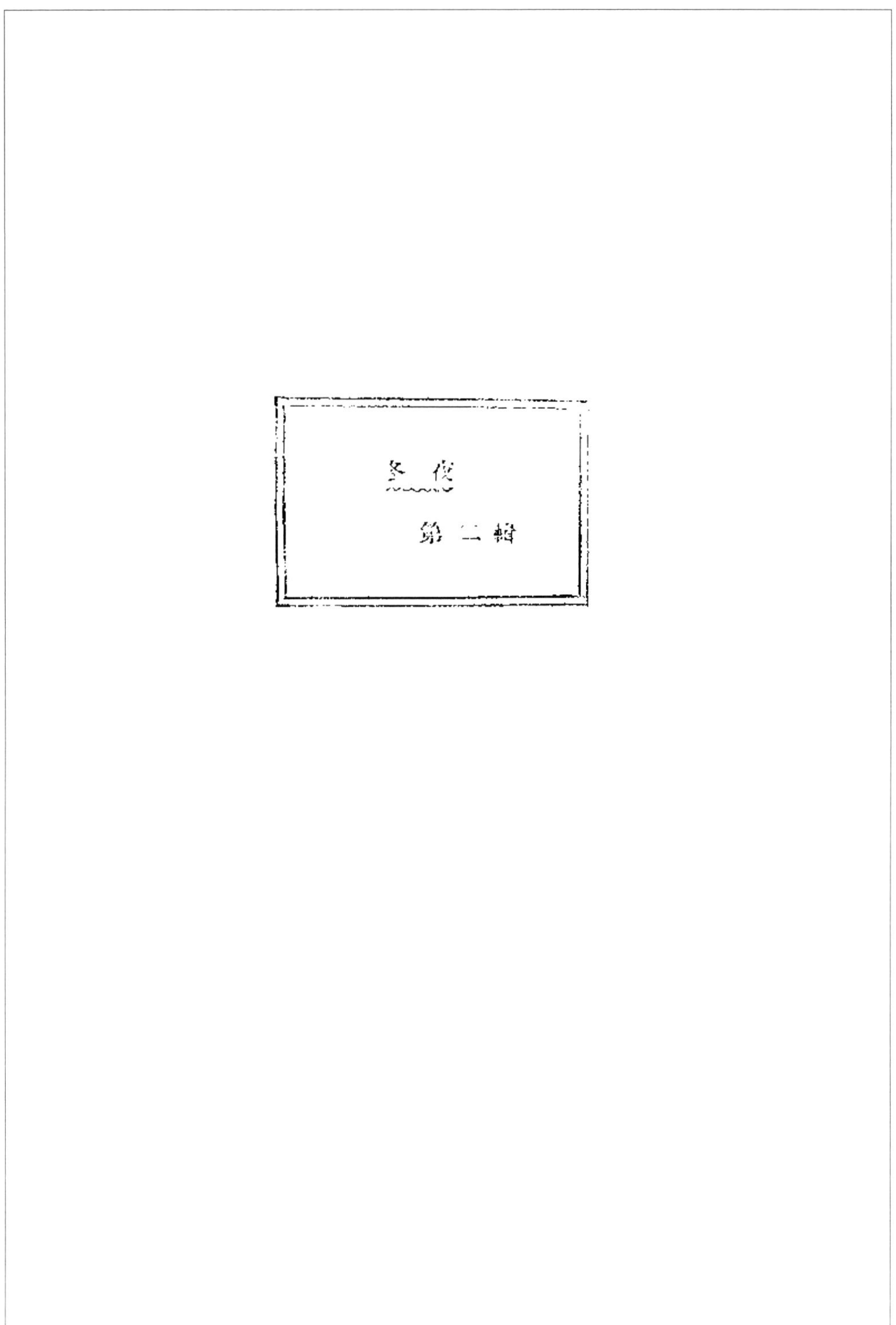
冬夜
第二輯

僅有的伴侶

一

密織就的羅紋，
亂拖着的絮痕，
半規荒廣的場，
如走了太陽，
便讓您倆沒縫兒依傍。
來來往往，後浪追前浪，
雲底浪！海底浪！
耀耀漾漾，青光翻白光，
雲底光！海底光！
模糊不定，上下無兩。

• •

凝沈這般的景色，
守得神疲，看得眼花，

想得心頭膩。
緊閉了不滿的雙睛——半日；
眼縫開，偷偷覷，
還是你？是你！

二

孤另另一個人在海上，
沒頭沒腦儘着去想，
沒聲沒響儘着去講。
行喲，坐喲，躺喲，
單是行坐和躺！
今天這樣，明天這樣，
明天底明天可想！
只看去的日頭，
磨來磨去，東升西降，
仿彿和人一樣怱忙。
但太陽，太陽！

我說：幽悽朦昧的人，
你縱光亮，
也怕照不到他底心上！

＊　＊

一秒半秒的挨着，
盼到蒼蒼涼涼火珠兒遮掩，
總算又長別了一天！
沒有想他；何曾惜他；
不說「辜負」，「再見」。
只走了喜你不再來，
來了催君快去。
想人人愛戀，
你偏電光波溜；
我剛厭倦，又絲線磋磨。
最不肯體諒人情的，
去！難做朋友。

三

聽不了啾喳的話，格格的笑，
滿了船梢。
夜涼正好，
奈添些幽悄，助那無聊。
舵尾上，坐着望，
月高高——將圓未圓——
緊粘着船兒移照
月呀！你底來路遠。
我底歸路也遙。

月氷着愁臉，
冷了骸骨，灰盡螢明，
得跟着我們底她亂繞，
不由己的一遭一遭。
淸苦的月兒，

我心想什麼，你該知道。
二萬里外，撞見了，
新交？舊交！

* *

銀輝輝的鵝蛋月，
深藍搭淺藍的背景，
攪不起的天——上邊，
定*不清的水——下邊。
就這副搖蕩人的風致，
難怪詩魔了這朋友們，
說你『會助團圓，』
『喜鬥嬋娟，』
『涎着臉窺那相思，』
既然孤冷，因甚風顛？
仰頭相問，你不會言！
白結了沒相干似蜜的關係，

留下了笑殺人的話柄在世間。
薄笨，靈變，
我倆底心腸轉遠。
你還得找像你的他做伴！

*定讀音澄。

*　　*

月知趣，雲做美，
一眨*眼，遮去了羞臉。

*眨音「ㄓㄚˇ」。

四

可東可西，飛底蹤跡；
沒曉沒晚，滾底閒歇；
無遠無近，推底了結；
呆瞧人家忙忙碌碌，
只瞧忙碌！
不曉「什麼？為什麼？」——。

飛——飛他底；
滾——滾他底；
推——推他們底。
有從來，有處去，
來去有個所以。
儘飛，儘滾，儘推；
自有飛不去，滾不到，推不動的時候。
伙作散了——分頭，
他們悠悠，
我何啾啾！
現——蹤跡，聯繫，了結，
是他們，是我底，
怎生分別。

五

路無窮想却徧了，
儻來清愁先夠了。

誰言刹那？磨可穿？
任從咫尺！盼可到？
僵支住幾根骨頭，
垂下睫毛，
上上下下，前前後後，都覺蹁躚。
讓日曬，風吹，浪嘯，
歪歪扭扭的船搖，
忒忒突突的脈跳，
還有那一迭一唱的機聲顛鬧。
不成腔調，却勝似笙簫！
縱有笙簫，這時光——
怎能解我寂寥，慰我辛勞，
且喜她形也枯燒，心也煎熬，
也是沒東西南北的跑。
她脫牽纏，
我賬簿從頭抹銷。

聽她，盼她，等她，
戛戛軋軋一聲聲送到耳膜，
忽低忽高，
明明引入我那歡愉的道。

* *

好調子騙了耳朵，
騙不動的更多；
清醒間着糊塗，
不幸勝了他糊塗。
淸淸的生涯，沈沈的路途，
難撐難度。
空花的歡喜，齊齊掃破。
看你忙殺，有甚結果？
可只會一里里的延俄，
一程程的躭擱，
經過——這些那些，

水米無干的雲山海樹！
世界顆微塵裏一點；
淸淺一勺水，
你朝朝暮暮飛他不過。
聰錦繡的光陰如此消磨
牆邊的癩蝦蟆，
拖泥帶水聲閣閣；
城闉裏的瘦駱駝，
挂串咯嚐咯嚐的鈴鐸；
正是一幅相形妙肖的畫圖。

*　*

唉！我羞你，得羞我。
小小園子幾曾跳過？
痴人醉了講十年前的夢境，
怕多一些淸楚。
既鑽進旋渦，

泛濟白的隨着逾活，
再分什麼水泥土。
我只問這偏找來的朋友，
像這般的移挪移挪，
怎擔得住愁千重壓扁了的我？
怎擔得上飛千遭歸心如箭梭？

六

滿艙人靜，該睡的是時候，
不聽話的依然！
倒顛胡纏些什麼？
有了什麼！不胡纏！
由着，想呵！
恍惚惚一個她。
不由着，睡罷！
清楚楚一個我。
念頭被攪渾了，

又打開這睡魔；
不留退步大家擋着路。
害我把一雙晶晶的瞳人，
釘這黃黃的鐙，
翻糊了席子，支硬了枕頭，
直拚*到窗外微明透露。
是月色要殘？曉光要破？
更心焦的——靜聽旁人困熟的鼾聲呼呼。

* 拚音如「ㄆㄧㄣ」。

*　*

明煥的圓圈，越蕩越短。
起先，逶迤四邊不見。
慢慢慢慢的，
兜心直掉進一片平原裏迷暗。
流轉這一霎，
可以懸揣，可以想像，

更平常的經驗；
只是領略偏無從呢！

* *

黑漫透了，翻現閃閃的光亮，
那明後的暗，
何如暗中明更幽遠！
在迷迷蒙蒙裏。
離開，依依接着；
才來，翩翩忽去。
這底下再沒有引不出的端緒，
脫不掉的拘牽，
塡不滿的兩大塊間隙。
可惜太迷暗，多轉變，
我却也愛這些！
在那赤裸裸的世界上：
你相他，似乎笑你：

你跟他，專會弄你；
千千萬萬的年底人，
你總是猴兒，
他儘耍猴兒的。
鑼鼓散場，
有地方，請君去！

*　　*

聽慣底滋味，
嘗着自然歎氣；
歎氣是你底，
可還得做戲！
倆何如伴這回想的，沒見面的，
僅有一個的朋友！
能知道真的我，
安慰苦的我，
畫出隱曲的我。

莫要說那些海上相知；
有呆的，有忙的，
有瘋的，有蠢的，
一句話——沒情意的。
隨了來，自己結個伴侶。
是你！還是你！

一九二〇，四，八，麻六甲峽中。

紹興西郭門頭的半夜

烏篷推起，我踞在船頭上。
三里——五里——
如畫的女牆傍在眼前；
擁腫的山，那瘦怯的塔，
也悄悄的各自移動。
月光——今朝遍滿，
畫就的分明，
厮對着個畫不成的蕩漾。
一切——所有一切，
深深浸在清寒裏邊。
死鄉底寂寞！·
只賸伊啞伊啞櫓枝打水聲。
呵的！倦意濃，涼意足，
那衣角兒幾時的又濕滋滋沾透。

燈火驟黃，十里了！——西郭門。

夜幕張開，睡魔醒來，
熱烘烘一座鬧市，
竟留不下一些兒聲息。
舖門下閂了，
門縫裏的火光更朦朧了；
只粉牆垜兒夾着屋角簷，
尖尖戳着那天。
我踱來踱去痴痴的：
這怕是墳堆呢？
將來的罷？
不是啊！正現在呢！
死鄉底寂寞，
不僅是人們感着。
這該心悸麼？

當得你底賞玩呀！
去——先試試去愛着罷。

＊　＊　＊

萬萬的金星直上下的竄，
從很遠的屋頂，
馬上嚇跑了遮弄人的撒旦。

豁缺處像雙眼睛，
兩人忙着，
好像做他倆自己底工似的。
風爐抽動，蓬蓬地湧起一股火柱，
上下眩耀着圓圈。
醬赭的皮肉，藍紫的筋和脈，
都在血黃的芒角下赤裸裸地。
流鐵紅滿了勺子，猛然間瀉出；
銀電的一溜，花筒也似的噴濺。

眩人底光呀！勞人底工呀！
沉凝的空氣，終不受一些一滴的旋渦。
死鄉底寂寞，重新回到；
將要更深呢！
相信那自然底，人底，人和自然底，
開着形形色色的花朶，
彌熳上這灰色的土泥。
背轉臉的美和愛，
兩重的恩惠，
他一起給了你們哩！
裹着脚你就欣然嗎？

一九二〇，七，杭州。

送緝齋

滿天只是騰騰的淫雲，
曉光減了一半；
行客們磨蟻般打旋，
等候着什麼似的。
我倆還在長條椅上靠着，
東南西北的瞎搭。

噹！噹！兩聲，
忙的空氣更露着濃厚。
這不能再談了，坐了；
走的人回他底頭！
送的人揮他底手呀！

既然我回憶着，
你或者該想着罷。

白銀的重霧裏，
一個十二月的大早，
依然眼前的光景！
可不也是——
走的人回他底頭！
送的人揮他底手呀！

從點點的痕跡上，
我留些是什麼？
怕你也覺得慚愧說啊！
碧雲寺，淋着脚的雨；
錦帶橋，打着頭的風；
去年北京底霧哪；
今年杭州底雲哪；
走的送的底情意哪；
却都不需要這些，

於現在的我和你。

遠遠遠遠的——
呼唷聲應着；脚步響亂着；
行列的火炬，
向烏黑的去處連續的衝着。
既不頌你底平安，
不歡欣你底勝利；
手千的眞心
在你衝鋒者底前路。

一九二〇，九，二十，——杭州。

潮歌

九月二十九日，在海寧看潮。

左顧汪洋，右顧迷茫。
平鋪着的爛黃，
是海？是江？
響——他真鬧啊！
上下適隄墻，
浮着人哄哄的響。
水——他真悄啊！
視野分際，疏朗朗的那帆檣。
天粘水，江接海底縫兒——
除掠些寥曠，
橫攙着大小的尖*——青山一桁。

那邊——什麼？
迷迷地人人心頭想。
我們底我，
直向那泱泱蒼蒼的處去望。

※ 海寧有大尖山，小尖山。

來了！都靜下了。
似粉的絲綹，
在太陽眩耀底下——
橫劃這塗遍靛的山坳。
是一線銀呀？
一抹雪呀？
還是一匹練呀？
我對着——眼睜睜地，
什麼是像他？

誰都想着哩，
洶湧在這一霎間；
當了面的你，
幾十分鐘的俄延。
雖俄延——不住的動和變。
山腰的，如今水邊。
一條灰銀帶兒，分分明明，
拖在精銅漾也漾似的鏡面。

魚在濤前；
人在岸邊。
近了，更高了，
轟轟的響更暴了。
古沸的潮頭，
帶那些疊翻翻的浪，
斗然——畫如一線，

倒捲着這隄下。
人只是狂喊着；
水只是怒吼着。

喊聲靜了，
怒聲也遠了；
向着錢塘，
向着富春，
從那東方的老家。
前面，是平着的水？
是露着的沙？
平的將被陂了；
露的將被淹了。
你還二十四時來這兩遭。

在比斯開灣，1

在薩丁尼島；[2]
漫天的濕雲，
千堆雪的浪頭，
怕担當不得人們底驚賞。
只變啊，動啊，比照啊，
更深契合在默契者，人底心上。

能滌蕩，是可羨的；
肯奔波，是可佩的；
會變動，豈不是可愛的。
對這常來往的客人，
留十二分的好意。
助他勇怒，
喜他長久，
我們跳着唱潮底歌。
我們笑着唱潮底歌。

1 Bay of Biscay.

2 Sardinia

十，四，杭州。

樂觀

天外的白雲，
窗面前綠洗過的梧桐樹；
雲儘悠悠的游着，
桐梧呢，自然搖搖擺擺的笑啊！
這關着些什麼？
且正遠着呢！
是的，原不關些什麼！

可是雲後邊那一個，搜搜地下來。
桐葉兒也只一順兒的飄，
翠衣閃那金黃斑點，
一翻一摺的自己弄着。
不更妝點些顏色？
是啊！也眞覺得如此！

可是新來的客人會淘氣啊，
不肯逢迎誰們底心理。
西風陣陣緊了；
梧桐也頓然老了，
黃的換上褐的了，
沙沙刺刺顫搖哭着。
誰還理會着，膩得煩厭罷，
誰能提起以前底事！

「葉落，秋深了！」
聲音去還不遠。
今朝千千萬的徧灑，
反隨着脚兒亂踹，
趁着帚兒亂掃。
老實說，憔悴也可愛的，

又何可避的。

那裏是常日底眩媚？

運命先生正笑哩！

他既不爲你來的；

你爲甚麼偏喜歡隨他去呢？

一九二〇，一一，四，杭州。

在路上的恐怖

睡着了的秋夜，
風鬧着他，雨打着他，
打得梧桐樹上花花的響，
簷漏邊也的的搭搭。
自然先生底曲子唱得這般和靜，
再沒有旁的聲音攪着。
隔着一重窗，再隔着一重帳子，
有人煨竈猫般的蜷着，
聽風雨底眠兒歌，
催他迷迷胡胡向着一處。

＊　＊　＊

方向反了，我頓然不想睡了。」
一盞黃蠟般油燈，

射那灰塵撲落的方方格子。
她燈前做着活計，
紅皺皺的臉映着側面來的火光，
手很靈節倘來往。
這個手呀！很紫很大那隻手！
抽線底調子一緊一慢的振動。
聽的是什麼？是人底聲音！
是辛苦的人生！

但這也太晚了，
誰曉當時睡你底好覺！
『一切靜了，何等的可怕！』我常常咕嚕着。
快要合縫的小眼睛裏，
看她正在忙碌，還有多們的安慰。
針和線底催眠歌，
安安穩穩催度我底長夜。

十六年前底夢境，
今朝一點一滴的翻覆心上。
還賸些什麼！
現在可說的還有什麼！

憔悴的一生，誰使她這樣？
這個誰又在那裏？
只是一簇的亂墳，
只是一堆的荒草，
便一切都放下了；
難道眞個竟如此。

事實終是事實，
我低着頭去承認。
但她底紅皺皺的臉呢？
又紫又大的手呢？

我正同小孩子一樣的問呵！
說他們化成不可知的物質去了，
我如何便能相信。

我怕得心房抖了。
紫黑的血，
白髏髏的骸骨，
直接在眼簾，觸到鼻孁。
可真是人生底香，底色？
有多少的美麗？
人海裏底一滴原微細到不消說了。
那麼——全人類呢？
怕是一樣的微細！
惟其是普遍決定的事實，
這纔尤其可怕！
聽聽這人們呼喊底悲音。

深切又很自然的恐怖，
痕跡留在灰白的纖維上面
且蟺蜿到於漫漫的來世。
那些流血的勇氣，
只更多加些強制罷。
我呢，當眞縮縮的打抖——
像猪羊在屠人底刀砧口——；
慚媿沒照着神底光榮，
汎美汎愛的那些情意。

時間不隨人意的飛走，
彷彿催着：
『近了，快盡頭了！』
路眞個漸漸的短，
心不息的跳搖。

黑的，豈不有眼了；
靜的，有耳了。
在路上底猜揣，
路完了，一大堆費話。
另外一個世界了，
有什麼可怕的？
咳！正怕着這「沒有什麼」。

踪跡漸淡了，
影兒也沒有；
前去了的伙伴。
我們還在路上呢，
正是那條他們曾經走過的路。
針尖般的荆棘，
橫七亂八的排着塞着。
一線的鳥道上

嵌滿刀鋸似的石骨，
留着已往人們底脚印，
留着「跟着來罷」的聲音。
皮膚也刮碎了，
脚心也磨穿了；
該謝他肯賞給我們這些磨難；
更該真心感謝千千萬萬人們底力，
赤着脚蹅那荆棘，
在路途底中間——
戰勝那可厭又可愛的自然。

然而——噫呀！
十月裏的秋風
掃林間底敗葉，
到後來不免收拾了去。
汗和血淌滿地面，

模模糊糊的凝結，
辨不出是紫是碧。
人間底光，底花，底愛，
再沒留下別的嗎？
只有這個，僅僅有些這個。

年代遠了，
連她底臉紋都添些衰老。
一陣陣的風，
又一陣陣的雨，
腳印也刷沒了，
血漬也洗白了。
只「生」底願望還和初生時一般強烈，
沈細的呻吟一斷一續的緜緜不絕。
自然先生有點愁了，也想哭了，
皺着眉他說：

『等着罷！
生命底路盡了，
方才不會有那恐怖！』

一九二〇，十一，十一，杭州。

游皋亭山雜詩 六首

皋亭山在杭州之東二十餘里，俗呼曰半山，有前後之分。山以春天底桃花著名，白梅亦盛。我以今年十一月十九日去游，却非其時；但亦不可無詩以紀之。

一 橋邊

轉過了一重三兩重的田埂，
穿出了五畝十念畝的枯桑；
流水當前，石橋橫跨着。
不著邊際的烏柏樹，
撒開一柄紫玻璃的半圓繖。
葉兒呢，灑在橋上，
也飄在水上，
也留下些在枝頭上翻翻招展。

岸旁的叢草沒消盡他底綠意，
明知道是一年最晚的容光了，
垂垂的快離着小河底臉。

* *

樹迎着風，草迎着風；
他倆實在都老了，
儘是皮賴着。
不然——
晚秋也太憔悴啊！

* *

一船船青菜，從橋洞裏搖過去；
我們也一步一步，從橋面上走過去。
大家很安然的經過；
似乎全忘記了，
使我們能經過的那一個。

二　香色底街

白梅花沒有開呢，
緋赤的桃花李花沒有開呢，
紅梨兒，半殘了，
早些兒，也晚些兒，
這個時光我恰恰來！

*　*

一堆一簇桃梅樹底光幹兒；
有的並排着，有的孤另另着，
矮的偏着，高的呢挺着。
說不盡的，看的好；
看太仔細了，想可好？
花正開着，
不如沒開去想他們底意思。

*　*

爛縵縵，春之花，
不可說像霞，不可說像雪。

香足了，色足了；
人醉了！

*　*

今天，此地：
香只悠悠着，色只渺渺着，
對面還有憔悴底影兒；
露一絲，透一些，
滲過了人底心靈。
滲過了，滲過了；
一片香和色底暗迷迷大海！

*　*

隨着你哭，隨着你笑，
什麼都隨着你，這裏邊。
漸漸的忘了一切，
只忘不了裹着靈明的光圈兒。
光圈也隱約了，

整個兒化了！
不是兩合着，
不是兩分着。
記着！記得！
只有一個喲！

三　相識

一所村莊我們遠遠望到了。
『我很認得！
那小河，那些店鋪，
我實在認得！』
『什麼名兒呢？』
『我知道呢！』

*　　*

『既叫不出如何認得？』
『也不妨認得，
認得了却依然叫不出。』

『你不怕人家笑話你？』
『笑什麼！要笑便笑你！』
走着，笑着。
我們已到了！

四　初次

孩兒們，娘兒們，
田莊上的漢兒們，
紅的，黑的布衫兒，
藍的，紫的綿綢襖兒，
睜着眼，張着嘴，
嚷着的有，默然的也有。

……………………………………

＊　　＊

好冷啊，遠啊，
不唱戲，不賽會，
沒甚新鮮頑意兒；

猜不出城裏客人們底來意。

* *

他們笑着闖攏來，
我們也笑着走攏來；
不相識的人們終于見面了。
但這有什麼要緊呢！

* *

在這相對微笑的一瞬，
早捨上一根割不斷的帶子。
一切含蓄着的意思，
如電的透過了，
如水的融和了。
不再說我是誰，
不再問誰是你，
只深深覺着有一種不可言，不可說的人間之感！

五　一笑底起源

我們拿掙來的飯吃着，
他們拿癡癡的笑戲着。
吃飯有什麼招笑呢；
但自己由不得也笑了。

一笑底起源，
在我們是說不出，
在他們是沒有說。
既笑着，總有可笑的在，
總有使我們，他們不得不笑的在。
笑便是笑罷了，
可笑便是可笑能了，
怎樣不可思議的一笑啊！

*　　　*

他們中間的一個——她，
忍不住了，說了話了。
『飯少罷！給你們添上一點子？』

回轉頭來聲音低低的，
「那裏像我們田莊上呢！……」
是簡單麼？
是不可思議麼？
是不可思議的簡單麼？
我們既說不出，
也只好學着一味的痴笑罷哩！

· ·

痴各痴各的，
笑各笑各的；
大家笑裏都帶些兒痴。
他們底雖不全是我們底，
也不是非我們底，
在「人間性」裏，
眞相信可以掉過來，
從我們相對的微微一笑。

六　前半山

雲一味的陰，
樹一味的陰。
從苔滑滑的石子上面，
路慢慢的高了，
雲滋滋的下了。
雨點兒蒙鬆着衣襟。
有瘦的松，
有肥的杉，
半邊俏的老樟樹，
攀着和他纏綿的蔓藤。
那些賜瑣紅的經霜點子，
有意？似無意間的，
翩翩——三瓣，五瓣，
和游客們來漸近。

＊　＊

好一片明秀深密的織錦，
依稀三四月間的晚春風物，
只添了說不出的一番蕭瑟；
一半枯黃，一半兒蒼翠的長林，
穿過了，悉窣颯颯，
悠悠地暗綰送出。

綰讀作去聲，文ㄢ。絡住之意。

一九二〇，十二，十五，杭州。

無名的哀詩

一個抬轎子的人，
於新秋的好早晨，
忽然間睡着不醒。
這原極尋常，
一個人底事更尋常啊！
好身分的人們
尚且脚接着脚的走了；
何況你——真像貓狗一般的死。

從紙上給我們的報告，
至少三個零位以上的數目：——
在饑饉底鞭子下黃着臉的，
在兵士們底彈子下淌着血的，
在疫鬼底爪子下露着骨頭的；

所謂上帝底兒子，
不幸兒弟們，
就這樣斷送光榮的一生！——
也一[illegible]默的過去了，
還當這是很小小的一個數。

至於像你這樣好福氣的：
當然沒有人哭，
沒有人憐惜；
更誰來追悼你！
只說死是該的！
我反在這裏嘰咕着不休，
還倒陪些沒來由的眼淚。
人家怎不說是痴子？
只是兩三個月過的快，
痴的我呢，還是痴着。

這麼，那麼一回事，
彷彿打上牢牢不可滅的印子，
任洗刷也不掉！
今天——我做無名的詩，
來弔這無名的你！

酒糟的鼻子，酒糟的臉，
抬着你同樣的人，喘吁吁的走；
在街上，在水邊，
也在高高的山上。
毒熱的火籠烤着頭，
那裏有你底襪？
剝骨的精瘦沒着腳踝，
那裏有你底鞋子？
說你原是抬轎的；
怕道生來就如此，

你又何妨坐坐轎子！
再若說有渺渺冥冥，
觸不着聽不到看不見的運命爺，
他來管着這些個；
叫我打那說話的人底臉。

費話不消說了，
你底一生的確做了轎夫。
我嘮嘮叨叨講我底夢，
你未必能來聽見。
時間底機輪又無從使他倒旋。
不知是誰決定的？
但決定了的事，
誰說詛也有甚用處？
看你流了大半世的汗，
跑了大半世的腿，

那些銀的銅的紙的片子，
來支持你做牛做馬的生涯。
終久——生命也跑掉了，
生涯也結了！
艱辛以外，恐怕未見還有別的！

那麼！世上，
你同時底同伴們所說的：
美善和愛底人生，
像花底開着，水底流着；
有古今來底詩人——
神底自然底頌揚者——
流着涎儘去羨着；
歪着眼儘去賞玩着。
在可憐惜的你底一生裏，
又顯出怎樣一個顏色呢？

只有光，只有花，只有愛嗎？
我想不見得如此罷！
我想你畢生，
決沒功夫去感受這些奇蹟；
告訴你也搖着頭的不懂；
懂了也搖着頭的不信啊！

人生底樣子，
在誰們心裏，現出誰們底神氣。
愛他，怒他，漠然對他；
隨着你我解釋他底意義。
把東一塊西一塊的在世間，
生來沒有整個兒的自己。
『你底就是我底，』＊
把舊瓶裝進了新酒罷！

＊此語見儒林外史第十二回。

儘着我胡想罷！
拿一壺燒酒，
噴〃得朦朧醉了，
也能得到他底辛苦底安慰；
比較我們心靈上底狂喜，
可當眞減少了一些？
他誠然是飄搖着，
在「狗的生活」裏挨着活着；
但所謂「有所爲」的人們，
怕道就淸淸切切地，
踏着生命上底步履。
況且「生」底電火一撤，
世界上固然不見了他，
幾時見了我們？
抬轎子的和坐轎子的，

一樣——眞眞的一樣，
長上青草了！
一堆兒去了！

＊讀音「ㄔㄨㄤ˙」。

『你莫再絮煩，
看看這不是已把不自然底結果，
完完全全的轉了過來。
這一齣絕妙的把戲，
在老式的舞臺上續續的串着。
經驗的人也太多了，數不盡了，
可惜，他們現在不能告訴你。
但是不要忙呵！
遲早來了，總可以看見的；
你可莫再煩絮！』

一九二〇，十二，六，杭州。

屢夢孟眞作此寄之

一

我倆半年不見，
人遠了，信也遠了；
偶然接到的，也只寥寥幾行字。
這不怪你，我正一樣的疏懶。
太忙啊？是的！
然也不盡是。

* *

我一提起筆——
那些討人厭的感觸，
便一齊擠上筆尖。
他們讓我把他們送給你，
我怕一時寫不了，
也有些不愛寫；

若另外找些不相干的情事來湊個數，
既辜負了他們好幾番的殷勤，
且不像給我寫真的信。

* *

我如此，或者竟你也如此。
要多呢，寫原是不會完的；
少呢，這寥寥幾行字裏，
已充滿了別來所要說的。
在這裏——
我能認識別後的你，
你也許認識別後的我。
何必再寫呢！
這確已經很夠了！

二

我倆離半年不見；
在冷冰冰的冬夜，

我却連續夢見你。
是你底來呀？
還是我的想呀？
我不願再去分別這些無謂的；
所知道的，的確看見了你。
這不和你來了一樣嗎？
你眞來了！我眞的歡喜！

*　*

我們曾經談着笑着——
往常見面時一樣的談和笑；
可記憶不眞了，
彷彿談到冬天的倫敦天氣，
彷彿談到別後一些零碎事，
以外都掉進朦朧裏去。

*　*

但所忘的，僅僅是所夢的，

至於迷宵這夢底事實，
和牽引夢兒底心境，
依然活畫般的存留着。
不獨是留着：
還鉤起亂絲一團的回憶；
還鉤起更亂更多的——
回憶以外——無窮感想。
不能再多了，不能再亂了，
這確已經很夠了！

三

不長不短的夢，
忽然間，斷了！
——孟眞在那裏？
只賸半窗晒透的太陽，
活畫出一個又靜又冷的早晨，
告訴我這是什麼時候，

這是什麼地方了；
告訴我這已是醒後的世界了。
＊間，平聲讀。

＊　＊

但醒雖醒了，夢依然夢着。
思想底路上，
終不盡夢中零亂的痕跡。
醒得早啊！
不然！醒後底聯想
又怎樣一個可怕的糾纏？
醒得早啊！
不然！豈不可和你，
多談許多別後事！

＊　＊

夢境終消散了，
連淡淡的影子

也水蒸氣般的飛去，
也不消再牽挂那躲在背後的我。
不然！孟眞遠呢！
三萬里以外呢！
要談着，要笑着，
用電底力嗎？用光底力嗎？
還是人底力啊？
我既然說不出，
這確已經很夠了！

四

今年三月十四那一天，
濛濛海氣蒸着，
也是一個早晨，
從倫敦來的佐渡丸，
正靠馬賽底一個碼頭。
有兩個人站在船尾甲板上，

絮絮的說着，帶哭聲的說着。
『平伯！你這樣——
不但對不起你底朋友，
還對不起你自己！』
我雖不完全點着頭，
但這話好像鐵砧底聲浪，
打在耳裏丁丁的作響，
我永不忘記！

＊　＊

現在呢，
說固不消，謝尤不必，
回想更沒有意義。
只在枯乾凝結的這世界上，
有眞心底熱淚灑着，漬着，
有眞心底責備，
眞心底寬恕相互了解着，

我在這裏，以爲
這確已經很夠了！

五

你來信勸我「不廢讀書」。
你底朋友在這裏
可以說沒忘了你！
『我希望我將來依然是你底朋友。』
臨別時我最後的一句話，
現在還繼續的說着；
你底朋友在這裏也沒忘了你！

* *

你猜我悔着，
但我不去悔着，只去望着。
『甑已破矣，視之何益！』*
我從小就念過這句話。
張着眼看前邊底路，

自然會和走散了的朋友攜着手。
以前的快樂
只在回想上重現，
飛騰遠了，沒法把他挽住。
却正有許多新的快樂，
留着機會給我們去創造。
人生底顏色很迅速的衰老，
他底精神終古一例的年少。
何況，我們正開着花呢！

* 此語見郭林宗別傳，宋鍾之語。

*　　*

吉眞，我們再見！
希望再見你時，
沒添新的慚媿，
這確已經很夠了！

一九二〇，十二，十三，杭州。

如醉夢的躑躅

一九一五年之春，予在蘇州平江中學校讀書半年，後卽北去。校旋亦閉歇，舊時朋侶星散。予亦東西奔走無所成就。一九二〇年十二月自杭而蘇，特迂道過干將坊巷護王廟校址，屋宇荒寂殆將傾圮。惟兒時聚讀光景，忽忽五六年矣，久已淡如烟霧；一旦舊地重來頓垗彷彿。詩跡常廡間，低徊不能遽去；奈守廟童子不解人意，屢相催迫以目，遂悵然而去。歸途夕陽在樹，曲陌新晴，賣糖聲，挑擔聲，驢步得得，驢鈴郎當聲，耳目所接皆如舊相識。躑躅街頭，如醉如夢。舊感叢繞，明知其無當；惟不堪排宕，返杭後姑以詩寫之；詩旣成，姑序之。序之工拙與成詩與否，均不及計矣。

一九二〇，十二，二十七，
在杭州記。

一

灑了幾天冰冷的雨，
雨住了，
雨點兒底意思依然沒住。
灰色雲底絲縷，
拂那旁晚的太陽光，
有另一樣的瑩澈，
悠悠揚揚地滿天。

* *

一條條，長街，短的街，
鯽魚背的石子路，
泥滑滑的好難走。
雲痕正絡在太陽底滴溜圓的圓臉；
雨底痕兒呢，

怕不沾在走路人們底脚上。
只有高牆遮不着的街和巷，
雨便跑得早些，
其餘呢，
就難免「蹩脚」一樣的拖泥帶水。

二

到了一個好像沒來過的——
幾分的生疏，幾分的詫異，
幾分的「迷離惝怳，」
豈不是沒來過的！
到翻開記憶上的舊賬，
這幾分兒的——斗然間——
都換上說不出却斷熟的模樣。

* *

五六年之前，
五六年之後，

憑着有快馬的追想，
也不由步步的落後了。

*　*

又誰知幾年底朦朧，
一朝底明晝；
四圍都逼攏來，
亂絲一球的蓬蓬鬆鬆着，
不定喚起的有那一個。
可認識的，要認識的，
已太多了，
何來淸切切的認識？

*　*

心靈底浮遊，
比活動影片還快些；
蕩蕩地一味情況，
再分不出習熟和新鮮。

三

扁是豎着；廟門是開着；
要枯而不願意枯的樹，
還是三株四株這樣立着；
塵封了的大殿照舊骯髒着；
什麼都是一樣！
早跑了五六年底時光，
什麼都是一樣嗎？

*　　*

背書包的小孩，
今朝又在這條路上走；
這竟然是他！

*　　*

不但是樹，我也想起來了：
五六年前底我已經老去，
很不消再說了！

在階沿上滾銅錢的頑皮孩子們，
今天都不見，
想他們必然也長大了，
也向着老去底途中。
就是樹呀，他們避不着見自己；
也長了一點的年紀。

＊　＊

書包早拋了，
孩子氣可惜也一塊跟着跑。
愁的眉，愁的眼睛，微歎的聲音；
我自己呢，不覺得；
樹却詫異個不住，
以爲從前未曾有過。
送他去的——我們記得——
明明一個小鳥般的孩子。
現在又來了，

爲什麼不大認得呢？
啊！添了一副苦臉！

的確已五六年了！
心境追那人事變的快，
自然再來時——
無從尋找那些舊相識！

四

短短的路，儘挨着脚磨延，也容易完的。
大殿上已有了一個老的，一個小的，
新來了一個風風顛顛，不老亦不小的。
我說的，他倆不要聽啊；
他倆問的，我不能夠答啊！
『什麼人？』『什麼事？』『找誰呢？』
我難得使問的人滿意；
雖然在人情中間，

平常而且必要。
『管我呢！』心裏底話；
『我來看看的，』說在嘴邊。

＊　＊

既來了，擋不住了，
不等他們，回答底回答，
沒禮貌跨了進去。
這樣「不了了之」的辦法，
越加惹動他們底疑慮。
老的努嘴；
小的會意，跟了我進來。

＊　＊

怕疑心我是偷兒呢；
這也說不定有的。
但他們也太裝幌子了！
老實說一句；

在您黃廟裏，
我透熟的了。
可偷的有什麼？
神像，房子，那地皮！

五

過去的踪跡，
隨脚步碾開的塵土都再生了。
花喇喇扯開門搭鈕，
一陣麻雀子（？）驚起了。
只有：——
陰陰上牆脚的綠苔，
零零落落——散在地上的——窗格子，
堆着的鳥糞，罩着的蜘蛛網。

* *

轉過了迴廊，
又轉過了迴廊，

這間看看空着，
那間看看還是空着，
不空着的——
又供養着個沒聲響的神像。

*　*

怎樣的空虛無聊！
卻不覺得啊！
已充滿着解不掉的重重回想，
和孩子們底面貌，
他們，我底，笑和鬧底聲浪。
什麼寂寥，早已敲個碎了！

*　*

看見什麼？
孤另另一塊「停雲小築」的扁，
散學時的太陽已上了牆。
以外都過去了，

腳下這點點，
來伴這五六年後重來的我。
更有個慣催人的孩子，
我粘着一切，他就粘着我。
睜大了眼睛，看着我。

• •

興致散了，
我沒神思的走了出來。
來時拉縴，去時溜煙；
自己底神氣，不由得自己底笑

六

穿了兩條巷，轉了一個灣，
土墩上疏疏刺刺幾排樹，
落日戀着樹梢，
羊縛在樹邊低着頭頸吃草，
墩傍的人家趕那晚晴晾衣。

* *

閑靜極的一條曲巷，
偶然有三兩個人影過去；
嘮嘮叨叨說着話兒的，
邪許*邪許挑着担子的，
有丁零郎當跨著驢兒去的。
不定是誰們，道是人們夠了！

*邪許之音見下挽歌注。

* *

融蕩了的心靈裏，
如醉夢的躑躅；
迷惑了從前來往底脚跡，
記不起五六年來一番間隔。

* *

歷來人事所暗示的，
只是添些無聊賴的感慨。

暫時撇去，
也暫時濕暖起「兒時」底滋味，
依稀酒樣的釅，糖樣的甜。
人在清悄悄的夕陽裏，
如醉夢的踯躅！

一九二〇，十二，廿七，杭州。

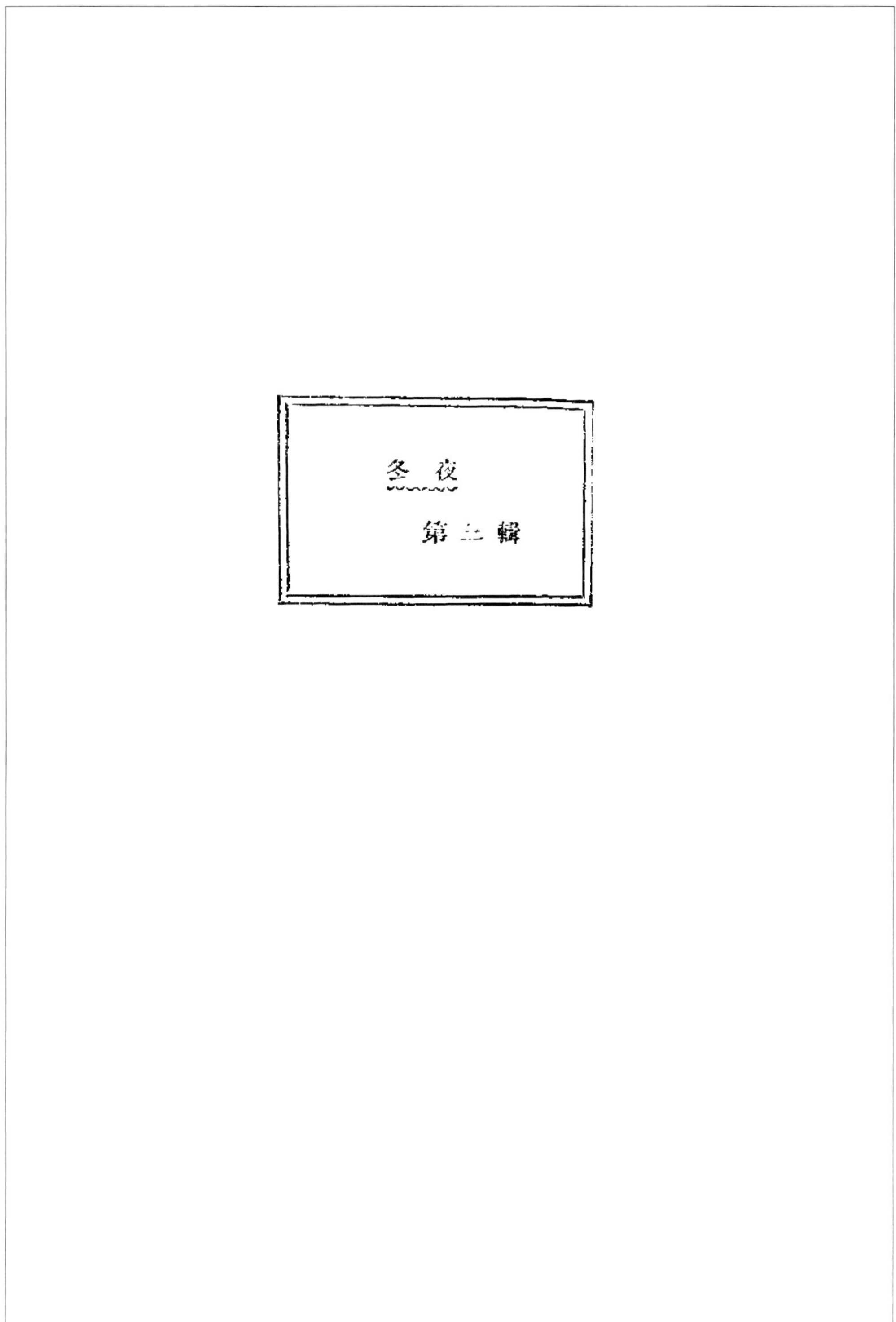

冬夜

第二輯

歧路之前

一

好容易借了冷風底力，
吹落了幾天晴色，
又輕輕地被一片的寒雲，蒙蔽住了。
八月九月，秋雨早過去了；
三月四月，春雨還沒到呢。
只院子裏萋萋的綠，
罩在密如線的雨底霧裏。
過着這樣一個的晚冬，
猛覺得身在揚子江底南了！

* *

你啊！如渡了淮，渡了黃河，
再高興些，走出了長城關，
找那些零落的顏色罷。

死的是沙，枯的是樹，
凍臉結脚的是氷雪；
沒有傍的，都在這裏了！
小草們，大樹們，
直等開了春——過了一半——
才得穿上一件黃綠的布衫。
現在早哩，
只光光的向風中打個抖。

二

眞吝嗇的他——！
在我們這裏却還慷慨啊，
再往南些：
在樹頭，草上，
七月，十二月，
都不論了；
酣醉的光景隨地流露着，

灑滿了平原，更灑滿了山谷，
要紮個大花圈兒呢！
這般太公平的分配，
你那配去問呢！
聽我來分配！
你明白自己底地位，
倔強也是無益的。

* *

一般的心靈，
被異樣的自然裹住了，
彷彿也顯着「生分」似的。
雖然明知道——
我如此，你也定如此，
却從日常的生活裏，
却不相信同時真在一個不分開的世界。

三

這樣比「凱撒」還利害的威權，
人們儘哼着不降服的高調，
暫時也跪服在他底面前。
將來呢？將來呢？
或者從小孩子底手，
把和生命一起來的鐵鍊，
像粉條扯得寸斷了，
抹一抹笑着底金臉。
也難說竟脫不掉囚人底命宮，
帶着枷和鎖。
送我們進墳墓去！
兩條分叉的路，
似乎都已留着人們底脚跡了，
這一條偏更多些可能喲！唉！

*　*

鋏子底下的我們，

一生裏，掙扎着，
後來沒有一個不默默地跟他去。
眞怎樣的不濟，羞恥！
儘怎樣的不濟，羞恥；
却已勝過了只踡伏着，
舐着泥土似狗一般的。

＊　＊

雖然無力啊，
但用力底精神却不見生分別呢。
一滴水掉進大海裏，
小大雖不同，
同的一伙兒是水。
在歧路之前，
正有好機會，
堂堂地和他並排立着呢！

一九二〇，一，一，杭州。

臘梅和山茶

一

一枝臨水的臘梅，
疏疏落落的正在雨中開花。
我立在亭子邊，
水邊，也是樹半邊，
送來撲面的雨珠兒，
也送來撲面微濕的香氣。

* *

是冷香？是甜香？
想想罷！
說不出的另有一種，
依依在臘梅花兒上，
我只叫他臘梅花底香喲！

* *

誰是像他的？
「像什麼」不如問「是什麼」的有滋味。
香浸在鼻端；
到嘴裏，只一半了；
到手裏，小半了；
轉到人家底眼和耳。
『有什麼？』
『朋友，沒有啊！』

*　　*

這不怪我，不怨你。
若要知道啊！
自己去尋找臘梅花啊！

二

竟有不怕冷的他倆個，
相對相望的開花。
深紅浸着紫的，

淺紅泛着白的，
這些全都叫山茶。

* *

山茶花！你狠肥軟沒有力氣！
靠許多硬且綠的葉姑娘支撐着你！
好花呀！
不算沒力氣，一扶便起了。

* *

山茶花！
爲什麼單單開在這個時候？
「花時」裏的紅和紫都埋沒得哭死了；
你恰趕芙蓉去了梅花沒來的當兒，
來逗露你底顏色。
好一個幸運兒喲！

* *

但也想啊！

這個時光，誰來趕趁？
好尖的風，
沒準兒淸淸冷冷下幾場雪，
你終于默默地打熬。
有幾個誰來趕。

* *

雖未嘗知道，
已不能再巧的捉住了；
你眞是造機會的。

三

黃透骨的臘梅，
紅綠相映的山茶，
在冷結的辰光相伴。
一個呢，
花花葉葉，融蠟伴的一簇，
太不分明了！！

一個呢，又太分明了！

*　*

一樣的花，一樣耐冷的花，
却有異樣的精神容貌。
一枝樹上，比着，比着；
他們却是誰不礙誰的，
也可比着嗎？

*　*

蠢人啊！
世間爲什麼要有臘梅香的山茶，
和搽燕脂的臘梅花？
他倆有些生分，
所以大家鬧着。
若是一樣的，一個早就夠了。

*　*

在不相識，不相妨的路上，

湧現出香遍滿，色遍滿，花兒底「都」。

四

自從他倆移栽到庭院，
已漸漸近些；
在瓶裏，又近些；
到並排並寫在畫圖，
竟是一枝上底花朵。

* *

香和色，平分了。
知道是感還是怨着，
向她畫裏底媒人？
她問我，我將問花。

* *

做媒的，看一對兒憔悴殺，
一朝長謝了人間。
贏得香色底一雙影子，

山茶花，臘梅花，
搖動在畫兒裏。

* *

若有眞的淚珠，
莫滴成江河，
莫滴成海！
千萬洗淨那將來！
他倆囑咐我，更囑咐了她，
替他們倆喊出這個話。

* *

眞慚愧我薄筆的詩思！
那些寫不盡的；
一半託在讀者們底想，
一半寄在她底如人意的畫兒筆。

今年新歲，庭院裏臘梅山茶同開；——長環折枝爲寫生，我同時做了一詩。選題旣在倉卒，詩又不稱題，成詩後方才懊悔。但却已不免晚了，跋此自解。

一九二一，一，二，杭州。

哭聲

一九二〇，十二，十八，蘇州所見。

一

路邊，小山似的起來，
是山嗎？呸！
瓦礫堆滿了的「高墩墩」。
沒長着成陰的嫩綠樹；
沒開着可愛的紅大花；
只披離着幾十百根不青不黃的草，
零零落落的各三兩堆。
遮了些，有些沒遮住；
碎瓦片，小石頭，
都精赤的露着。
禿頭上幾簇稀稀剌剌的黃毛，
這最像了，我底比方。

好看嗎？你可自己想！

＊高墩墩指積成的土堆。

＊　＊

在城裏隨處有，
我從前看得膩了，
但是——今天，
一別六年的地方，
六年後來了的我，
頓從可厭中變現可怕的光景來，
從可怕裏又翻湧出一種搖動的悲哀。
這叫我永不忘記！
不但在眼裏，
更在心底眼裏；
那些爛泥荒草——
將來大約要完全忘了！
至于所經過的一番心境，

從那些提示而來的；
這叫我永不忘記！

二

「長毛時候燒過的！」
這句話至少在十年前，
且忘了說在誰底嘴裏。
問是偶然的；答也隨便的；
問答後是漠然的。
我漠然在當時，
並且這樣漠然漠然的已十多年，
大約早送進迷離朦朧底中間。
但「不漠然」偏在這今天。

・　・

顛狂似的大跳躍，
這來從那裏？
說不清的已十多年。

從我偶然的問呀：
從他，她隨便的答呀？
從問答底中間呀？
或者竟離開問和答的連鎖，
從題旨以外的解釋呀？

* *

不問是想像，是記憶，
記憶的想像，或想像的記憶了！
不必問了，不消問了，
因爲已然如此！

* *

問是偶然，今天想的未必是；
答是隨隨便便的，
但所說的未必是；
問答後是漠然的，
但看啊！十多年以後，

又不漠然！
我們只問現在來的是誰？
是什麼？怎樣？
豈不就夠了，
這誠然沒有什麼不夠的！

三

你曉得？
小小的一句話，有什麼光景？
閉着眼——
自然是個笑嘻嘻的世界啊。
大家閉着眼罷，
請永遠不要睜了！

・　・

有人嗎？
不顧惜他底眼淚，
來漸滅人間底光。

若然有的，
早投進了一幅慘悽悽的血色黃圖裏。
就在你面前，真的！
倒着叫的，跑着躲的，
真的！是同樣的你。

* *

老老小小底哀哀哭聲，
蓋不住野獸們底狂吼。
刀霍霍的吸人的血，
火躍躍的也吸人的血，
亂喳喳的不久沒了聲息。
刀缺了口，火爛洋洋地吐舌，
野獸們睡在窩洞裏快活。
哭聲攪他不着，連夢都快活！
吃賸下的——也不會哭的——幾層白骨。
說是白喲！

埋在灰燼下的又焦又黑。
讓紅眼睛的野狗來收拾，
刮刮地，銜了去，慢慢齦着吃，
咂着嘴舐那附骨的血。
嚼不完的扔在瓦礫。
有坍下的牆底磚，
折斷的梁和柱，
壓着房主人們底骨殖。
這裏邊，是什麼？
我們只會叫高墩墩，
可分他不出！

四

又參差着高高下下的瓦房，
又環抱着曲曲彎彎的粉牆，
又迤邐着平平直直的街和巷；
年月日在世上幾旋，

不見別的，到今天，
不再見以前的悽慘，
只見熱騰騰簇聚人烟。
笑聲，駡聲，走路聲，說話聲，亂喳喳一片，
都含着另樣的歡喜和新鮮。

・　・

高墩墩被丟在「笑」底人間裏，
一年底春風，一年底春草，
長了，又綠一片了！
辨不出血沁過的根苗枝葉。
孩子們爬上去，小羊們也上去。
孩子覺得很好頑；
羊呢，有草吃。
都喜歡跑上這個高墩墩。

原來健忘的她們，

還那健忘的人們，
眼淚沒揩掉，歪着嘴就笑。
一切很自然的過去，
不消重新提起，
更不消牢牢記得！

五

但是——究竟——
這個饅頭
深深刻着，密密寫着，
刀和火底在人間的功德；
飽裝着數不清的，
被忘却的人們底淚血。

· ·

只看他，不想他；
不可悲，不可怕。
但如看着想着呢？

也如此的安然嗎？
也忍心去如此安然嗎？

* *

高墩墩，我從小知道你不愛哭，
爲甚麽今天聽見你底哭聲？
想決不自己唱着挽歌，
弔已往底不幸；
想必爲着我們，爲着那將來的，
爲着被犧牲的一切。

* *

現在——即使到無窮的時代，
永擋不住刀火底力！
但刀和火！
你倆喝盡人們底血，
吃盡人們底肉；
也擋不住刀光火光下哀哀的哭。

* *

我告訴你們聽：
如有一絲的聲音，都須盡情瀉出。
刀若不折，火若不滅，
哭聲終久不絕！
若到了盡頭，空氣歸到凝寂，
刀火底威芒偏爆得越越。
我們也不願去追悔了，
只仰着頭認自己根性上底無力。
我們原不解超人間底、所以然」；
真感到的，
無非人間世底那些「不得不」！

一九二一，一，十二，杭州。

黃鵠

賈生惜誓上面說：『黃鵠之一舉兮，知山川之紆曲；再舉兮覩天地之圓方！』我平常極喜歡念這兩句賦，因他文情高曠，音律抗舉不落和如揚雄以後的俳優文學底惡習。我們看這兩句及弔屈原賦上所說：『鳳凰翔于千仞兮，覽德輝而下之；』就可以想像賈生底人格了。現在推廣惜誓本文底意思成一短詩。詩雖非詠黃鵠，卻以黃鵠起興。黃鵠本爲漢橫吹曲二十八解之一，其詞存于魏晉間，現在卻已忘佚。惟漢昭帝底「黃鵠下建章」之歌尚存。我襲用舊題做首新詩，譬如舊瓶裝新酒哩。

給水田裏底稻子愛上啦？

給出水的魚兒們愛上啦？
撲撲的——
好容易，飛了。
幾尺？幾尺！
掉了——！
掉在河灘頭上喘氣。

黃黃的稻子打晾在塲上，
小魚兒躲在脆玻璃底，
看見了，吃不到嘴邊。
呣太冷的風吹瘦了你。
不像從前了，
身體輕去一半。

斷了，依依的線斷了！
只消刷的一翅，

高高銜到白雲裏。
也讓農夫們割稻去，
也讓小魚們挨凍死，
嘎——嘎嘎，不回頭了，
借陣鐵硬的好北風翩翩南去。
迢迢遙遙雲底路，
過不了的千重山千條水。
山呀，紫螺似的鬟簇？
水啊，衣帶似的幾曲？
蜿蜿蜒蜒，漫漫地直在瘦腳下打個旋。

天風再送他上去，
雲霞盤繞在雙翅前，
只蒼蒼然蒙氣在上邊。
從雲縫裏露些眼，
有河流島嶼？

有岡巒原野？
大地奔走，混茫茫成團成片。
可知道沒處再尋伴哩，
真個兒孤另另的！
他未肯願意，何嘗懊悔，
不能儘向清清淺淺間，
一步步對自己顧影，向人家去弄尾。

一九二一，一，十二，杭州。

鷂鷹吹醒了的

陰陰的早晨，
給吹哨子的鷂鷹兒吹醒了。
房裏爐火暖着，帳裏被窩暖着，
她還迷迷的，我却一起醒了，
心緒緊跟那鷹聲打轉。
聽！聲音？背溜溜的叫喚。
再聽！哭聲？
再聽聽！有人們底說話聲。

說你倆是愛我！
大家都說着，你倆自己也說着。
但我——
白嫩的手不能做人間底工了；
細軟的腿不能跑人間底路了。

使我這樣的，誰呢？
爸爸，媽，告訴我！
想決不會是你們；
因爲——你們倆常常說愛我。

說你倆是愛我！
但我從不曉得世界上，
有怎樣的光明，歡愛。
是我底不配呢？
還是你倆底不給呢？
開屏的孔雀，
刁着嘴的鸚哥兒，
我覺這樣的過我底一世嗎？
誰願意呢！只是沒法啊罷了！
硬給我所不要的，
又不給我那所要的，

爸爸，媽，說罷！誰呢？
年紀小的，原不大懂得。
你們必然肯——也應該對我說，
因為——你們倆都說是愛我！

說你倆真是愛我！
不知隨誰們底喜歡，
我卻容易有了丈夫。
這也還是愛我？
我不認得他，
誰叫我把全心去伴他？
我不愛他，也討厭他，
誰把我當做娼妓般去媚他？
我拗不過儘低了頭，
聽那不可知的誰們底話。
迷糊的半世過得快，

今天要問問啊：
『有什麼喜歡，爲什麼可以，
把我送給我不愛的那個他？』
拿了去，拿去罷！我不希罕！
咦！快說罷！
你倆反正會說是愛我！

只問着，沒答着，
留給我的，算算看，有什麼？
會吃喝好的；會穿戴好的；
會嘻嘻哈哈的歡和笑；
會奉承一切的人們；
更在所謂較尊貴的男人們。
你倆想喲，不要儘閉着眼睛，
你們倆想想喲！
你倆底女兒給造成一個什麼樣子？

幸福，不幸福？儘你們自己。

雖儘說着愛我；
我現在老實說；
『不愛你們了！』
像這樣的愛，
愛那些願做頑意兒的好了。
我啊，十年二十年的受着，
已是够了，太多了，
謝謝，謝謝，不敢當了！
我爲這個哭着，
哭够了，撇了跑。
不回頭麼，回頭說一句話：
『幾時若找着了人間底愛，
我張開手摟你們倆啊！』

一九二一，二，廿六，杭州。

北京底又一個早春

又來了，
來的什麼說他不出，
只知道又來了罷了。

風這樣的冷，
樹這樣的瘦，
人這樣的黯淡啊；
依然麼？不依然麼？

小河，河邊樹，樹頭的鳥，
天邊，雲，
風前的沙，沙裏的人，
一切啊，……
牲口，車子，——走。

仔細的瞅去，再想去，
可瞅够了？可想够了？
可來了嗎？……什麼？
想想！……又什麼？

只消一霎眼，
眞眞眼一霎就够了。
也用不着注意，
也用不着你底想，
只要淸淸白白用你底眼啊！
混融於一瞬中間，
分不出這和那，
這不是又來了是什麼？

綠滿了江南，
這裏還賸冰雪底餘威啊。

但幾天黄沙裏着的春風，
輕輕把春意送徧這寂寂的城圈兒裏！

一九二一，三，十二，北京。

風塵

哦！北河沿底小河，
幾時添了一片春水？
風過去，
居然魚鱗似的起來。

是小河底意思？
或者春風底意思？
各一半兒罷，
聽聽他們倆說的話。

『平鏡樣的我悄悄正靜着，
你儻我顛顛似的跟你蕩啊！』

『沒有你綠油油的春漲，

我吹的，就吹到你嗎？」

風直響到疏林外去，
纔堆着地的灰土，
把對岸的行人們
混捲在黃迷離裏。
小河也不再有從前的樣子。

皺着，激着，奔流着，
是小河，也是江海，
同是一星星微波浪喲！

風塵果可厭麼？
動江海底羨麼？
我豈不在風塵之間麼？
我眞置身風塵之間麼？

一九二一，三，十三，北京。

不知足的我們

我做這首詩是聽見羅素先生病頂危險的時候，後來他病漸有轉機，所以一直沒有發表。現在羅素先生大好了，不知足的我們也可以知足了！我就把這首詩登在晨報上，記我個人底希望和欣幸。

一九二一，五，十二，在北京記。

是領港的，
是引導的，
是宣示一切的！
你既帶着這些使命來的，
眞在呼聲未了的時間去麼？
豈可不爲你惜；

但更深切偪近的，
怕將爲我們惜你。
枯渴着的行客們，
久已這樣徘徊旁皇地，
何况頓要失落一個光明底源泉！

你所留給人間世的，
不爲很少了！
但豈不可希望有更多的？
如其有「知足」的我們，
或者要說：
『萬一如此也可以無恨了！』
但若使我們偏不知足呢？

一九二一，三，廿七，北京。

春裏人底寂寥

一　凝思

畫了些顛顛倒倒的圈子，
想想這樣，想想那樣，
又想想！
去遠了——
噲！回來罷！

＊　　＊

既沒甚可想的，
自然也想不出什麼來。
可以算了罷？不！——
無可想的想頭正皮賴着呢。

＊　　＊

還有什麼法子？
儘他兜圈子麼？

不嗎？
有什麼法子！
願意如此，能够如此嗎？
能的，願着嗎？
又有什麼法子！

*　　*

窗紗上半綰的太陽影兒，
街上各樣叫賣底吆喝聲音，
他們呢！
沈下去的我能拉住了嗎？
纏綿的思流能剪得斷嗎？
希望着暗影裏說個「是」，
但若僅僅留下了希望，
又怎樣？更又有什麼法子！

*　　*

很急切了，盼敲門底聲音，

偏盼不到敲我門底聲音。
只聽沈着的腳步聲，
一步步的蹬着地打牖外走過；
遠遠的——很清楚的——過去，
後來，輕輕地過去了！

二　枯坐

凡圍着我的都熟的沒有味了！
如是如是的坐地坐地，
打早到晚——晚又早了。
在面前的有：
墨壺，印泥、照相架子，
倒插着的禿筆尖……
零零落落印進眼去。

＊　＊

書我覺得是書，紙是紙，
一切是一切，我是我；

這不結了！

「怎樣？什麼？」

我側着耳朵聽了半天——

好半天——

有幾個清清楚楚的聲音聽見了！

* *

我怎會想得着去清理他們，

更不用說願意去；

一方尺獨坐底位置

早已滿足了小小的我。

除掉他，覺得很遠了，很沒有關係。

這樣擺着好，那樣擺着好，

隨隨便便歪歪斜斜積着，鋪着，豈不更好！

懶極了的我

對他們只漠漠然，

悄悄的一個人兒坐。

＊　＊

如說我懶算說着了，
却是懶底趣味誰先領略去？
憑你抓着，一跑完了；
憑你理着，一亂結了。
一切隨他們自己去的好；
幫忙的，攪局的，
且暫時信這句話罷！

＊　＊

可以多事，有人尋去；
不去尋事，事便少些；
懶懶的我安然也過去了。
大家夥兒撒開手，
使大家夥兒安然了。

＊　＊

荒唐的話說在懶人嘴裏，

不知愛他的人又如何說？
我卻難從猜測的了！

三　病臥

躁極了透雨淋一陣，
閒夠了狂風刮一陣；
送來的是花草底香氣，
更多帶些黃土來？
我總閒不得了。
把雨淋了去，風刮了去，
把病來磨了去！

*　*

不能放下的，如今可以了；
不肯丟開手的，也肯了。
仰面躺着，眼閉着，
把這樣光景去揣度着，
需要的，可以說近於闤闠兒。

喝兩口甜迷迷的水

或者有一點眞的意味！

*　*

痴想底旋繞，

寂坐底無聊，

被狂風雨捲去了蹤和影

軟的不能坐了，

呆的不能想了，

那儘想着坐着的

難道也可許是我？

我說這麼樣一個整整兒的！

*　*

千千萬萬底中間；

故交忘了，新知等着來呢，

現在認識的只這一個。

說是我可以，不，也可以；

我總依着，隨您便罷！
沒有了鏡子；
高的，矮的，俊的，醜的，
去暗地裏摸索罷。

* *

在舊賬結了新賬沒開的當兒，
我眞是沒事的人兒呢！
太逍遙的容了下去。
雖不願您遊蕩散地，
在籠子中間的，
誰不學着去願意！
於你是第一遭嗎？
這也未免太「善忘」了！

* *

沒早晚昏昏的睡。
到睡不着的時候，

看太陽影子移去。
歷歷落落的念頭，
跟光影底動搖重新纏綿着，
終究到「無可奈何」了！
幾翻個身，
『睡罷，睡罷！』

* *

散沙似的念頭漸漸團成夢來了。
沈下去，沈下去，
到明暗不可分了；
零亂不可解了。
拉不着的跑掉了，
擋不住的進來了，
縛不牢的斷落趁着長風似的飛揚了！
顛倒麼？斷續麼？迷離麼？
睡麼？醒麼？

夢中底認識，醒後底記憶，
握筆時底神思哪，
都只在似是而非的光景中間。
只覺着一團烙鐵般的熱和重，
壓上腦府底靈明，
更映射到又黑又甜的夢鄉裏。

一九二一，五，七，北京。

破曉

雄鷄叫了，
麻雀鬧了，
該天亮了！
窗上怎不發白？
似乎還有所待呢。

久朦朧地，又翻覆着，
今夜便格外長些似的。
怕眞如此？
是我的盼麼？
或者，兩都有些兒麼？
哦！曉得了。
皮賴着的夜小鬼，
覓等人們轟着才走！

至於可憐的我們，
什麼都賣給人家了，
白賸幾雙精赤的手。

如眼淚要得病的；
那麼，難什麼？
學賈生好了，
上西臺*去號陶也好了。
但小鬼們看見了，
活活的格他牙齒笑個死。

* 宋謝皋羽有痛哭臺，即西臺。

說血刷得白的；
如單這樣夠了，
我們希罕什麼！
戰場上新舊的鬼，

偶然隨着死的那些例外，
已無算了，
豈不先見了光明去！

靈宜示來的靈明已經老死，
在人間要另造一個新的。
不讓我們跟着，
便不得不領着。
自己提個燈兒，
向冥漠裏脚音樂得遠了，
不勞借您星月底光輝。

要用淚洗這罪孽，
要用血濺那魔鬼，
要不住的向前搏擊。
夜鬼跑了，是人們底力，

我們學會了「可能」。
若然不呢，見人們底心，
我們重新了解「什麼是運命」。

一九二一，六，十二，北京。

孤山聽雨

游不必有詩，但快游亦不可無詩。記八月一日之游。

雲依依的在我們頭上，
小槳兒却早嬾嬾散散地傍着岸了。
小靑喲，和靖喲，
且不要縈住游客們底憑弔；
上那放鶴亭邊，
看葛嶺底晨妝去罷。

蒼蒼可滴的姿容，
少一個初陽些微暈她。
讓我們都去默着，
幽甜到不可說了呢！

曉色更沈沈了；
看雲生遠山，
聽雨來遠天，
颯颯的三兩點雨，
先打上了荷葉，
一切都從靜默中叫醒來。

皺面的湖紋，
半蹙着眉尖樣的，
偶然間添了——
花喇喇銀珠兒那番迸跳。
是緊弦？是急鼓？
比碎玉聲多幾分清俏？

涼隨着雨生了，

悶困着雷候了，
翠蔭的屏風烟霧似的朦朧了。
有濕風到我們底衣襟上，
點點滴滴的唶喲！

來時的槳子橫在渡頭。
好個風風雨雨，
淸冷冷的湖面。
看他一領蓑衣，
把沒篷子的打魚船，
掤開的擺到藕花外去。

雷聲殷殷的送着，
雨絲斷了，近山綠了；
只留戀的莽蒼雲氣，
——正盤旋在西泠以外，

極目的幾點螺黛樣。

一九二一，八，五，杭州。

悽然

今年九月十四日我同長環到蘇州，買舟去游寒山寺，雖時值秋半，而因江南陰雨兼旬，故秋意已頗深矣。且是日雨意未消，游者闃然；瞻眺之餘，頓感寥廓！入在廢殿頹垣間，得聞清鐘，尤動悽愴懷戀之思，低回不能自已。夫寒山一荒寺耳，而搖蕩性靈至于如此，豈非情緣境生，而境隨情感耶？此詩之成，殆由文人結習使之然。

那裏有寒山！
那裏有拾得！
那裏去追尋詩人們底魂魄！
只憑着七七八八，廓郭落落，
將倒未倒的破屋，

粘住失意的游蹤，
三兩番的低徊躑躅。

明豔的鳳仙花，
喜歡開到荒涼的野寺；
那帶路的姑娘，
又想染紅她底指甲，
向花叢去掐了一握。
他倆只隨隨便便的，
似乎就此可以過去了；
但這如何能，在不可聊賴的情懷？

有剝落披離的粉牆，
欹斜宛轉的游廊，
蹭蹬的陂陀路，
有風塵色的游人一雙。

蕭蕭條條的樹梢頭
迎那西風碎響。
他們可也有悲搖落的心腸？

鏜然起了，
嗡然逝了，
漸般然散了；
楓橋鎮上底人；
寒山寺裏底僧，
九月秋風下癡着的我們，
都跟了沈寂的聲音依依蕩顫。
是寒山寺底鐘麼？
是舊時寒山寺底鐘聲麼？

一九二一，九，三十，杭州。

網

一

結網的老翁方臨流羨魚；
蒲伏久了，
背似弓樣的彎了下去。
凝視的雙瞳已半焦枯了，
只眼中底熱望，
還充滿着呢，依依不散。
儘讓那亭午的秋陽，
沒遮沒擋的炙他脊梁；
溜沸的混黃流，
打到石磯腳下，
一陣陣回頭，隆然做那怪響。

*　*

疏疏霜濃般的須髮，

撐着幾根瘦骨頭，
只爲着張開小嘴的孩子們，
在烈日淒風下天天打熬；
凝盼那魚兒來，
魚兒來入網！
但魚兒們呢，
將入網的魚兒們呢，
又怎樣去想？

二

這似乎已不消說的：
聰明的，早跳遠了；
愚蠢的，掛着網了，
逃着，跳着，
直到不能再逃跳的時候。
老漁翁底心頭
雖然有另一種盼望，

於他們倆却不見同情啊，
這亦似乎不消說的。

* * *

『小魚來，大魚來，
小魚不來大魚來！……』
嘮嘮叨叨，顛顛倒倒的咕嚕着。
果然間——靈如響的祈求——
徑尺半的銀鱗，
閃着江岸底斜陽光采，
早隨那結就的罾網來了。
老人底快樂——看啊——
都表顯在臉上顫動的筋肉了。
彷彿默默的說道：
『好了，孩子們有得吃了！』
但那魚兒，入網的魚兒，
怎樣？怎樣呢？……

三

明知道：這破碎的罟網，
恐不消兩回的跳躍，
便可以悠悠然，
隨着東流水，游到老家去了；
只是那鬚蒼蒼的老翁，
牙牙待哺的孩子們，
孤負了一整天的凝望，
豈不要失意哭殺了。
魚兒底一個疑問：
到市間去？到鍋鑊裏去？
或者，竟回去了罷，
指着他浩蕩冥茫的故鄉？

* *

貪酷呵，殘忍啊，
漁人似乎已有該當的咒詛；

但魚兒不暇再去憤怒，
臉有清淚底潸潸，
編滿這魚簍魚網，
竟甘心奄奄地待盡了！
他想：——
在這憎惡怨怒的，人間世間；
凡有愛底心的，
有和平底光芒的，
既解不去塵濁底纏縈，
又不忍儻然脫身遠去，
都掉在網裏；
誰都掉在網裏，
况我呢？

四

於是——老翁笑落顏開的，
竟提挈着他，家去了；

正眨着臨命的雙眼。
漁翁說：『掉在網裏；』
魚兒應着：『掉在網裏！』
『你！』
『你!!……』

一九二一，十，十三，杭州。

安靜的緜羊

炊烟青的時候，
羊們已家去了，
有些，亦已在路上了。
貪懶的，被尖快的胡哨叫起來；
倔強着的，
聽辣痛的鞭聲跟着跑。
所有甜美的草場，
凝瑩的河水，
都遮上朦朧的暗幕，
成了灰色的一團影子，
已將無可留戀了。
況且已正是時候——
不算早了！——
太陽下山，羊兒在家。

夜悠輕輕地唱了三聲眠歌，
正像天鵝絨的柔軟，
多多少少的羊們，
悄沒聲響的睡在欄裏，
不再「迷啊迷」的聲喚。
似乎早已忘記，
在那森遠的林間，
却有不幸的一個被拉下了。*
想正悲咽着，
向不說話的黄昏嘶叫；
他怕將有遲暮之感了！

拉下，丢下之意。拉音去聲。

『樹林正是大狼底窩，
他不知怎樣哩？』

孩子們都嚷着。
火把出來了，
吹哨底聲浪因而合着：
『回來罷，快回來罷！』
那死人住的大野，
彷彿倒有廓落的幾聲回響，
以外便寂寂了；
這是多們的煩厭和失望啊！

飄零在外的綿羊；
悲鳴嗎？躑躅嗎？
偏不！早安然躺下，
喊不出也跑不動了。
火光從樹林外過去，
他神經上微微的一動；
以外，便只好靜靜的憩息着，

在不盡的長夜中有所等待了！

秋風在林梢又下了一陣，
大約無非是黃葉，
黑越越的一團無端的壓下來。
又怎樣的溫煖啊！

……………………

一九二一，十，十八，杭州。

風中

前有秋雲來後有秋風，
吹過了山河萬萬重，
把大地殺聲抖動。

黃葉紛紛的辭家——花花，
我守着他，悄然淚下；
風捲起來，下去！——沙沙沙。

一九二一，十，二十，杭州。

小劫

雲皎潔，我底衣，
霞爛熳，我底裙裾，
終古去敖翔，
隨着蒼蒼的大氣；
爲什麼要低頭呢？
哀哀我們底無儔侶。
去低頭！低頭看——看下方；
看下方啊，吾心震蕩；
看下方啊，
撕碎吾身荷芰底芳香。

罡風落我帽，
冷溢打散我衣裳，
似花花的胡蝶，一片兒飄揚。

羣仙都去接太陽，
歌啞了東君*，蒼老了天狼，
天狼咬斷了她們底翅膀！
獨留此身于夜漫漫的，人間之上，
天荒地老，到了地老天荒！
赤條條的我，何蒼茫？何蒼茫？

——一九二一，十，二十，杭州。

* 東君，迎日之歌。

憶游雜詩共二輯，十四首。

我一九一九年在北京和自情談詩。他說：「我們可以試做很短的詩，」我當時頗以爲然。而兩年來羈旅奔走，遂致孤負前言。今秋在杭州卻多暇日，偶思短詩體裁用以寫景最爲佳妙；因寫景貴在能集中而使讀者自得其趣。或疑詩短則敘述描寫不能詳盡，不知寫景物本不是要記路程的。若專刺刺不休，臨穢筆墨，豈詩人之長技耶？且歌謠內每有一句成文的；如『抱鼓不鳴董少年』之類。兩句成文的，則尤多，如新序所引徐人之歌，楚詞內漁父之歌；至唐代尚有『將軍三箭定天山，壯士長歌入漢關，』之歌。日本亦有俳句，都是一句成詩。（見周啓明先生所作的日本的詩歌一文。）我認這種體裁極有創作底必要，現在姑且拿來記遊，其實抒情呢，也無有不可的。至於因我底才短不能如意，這是另一問題。現在姑以記遊體試爲之。

一　山陰三日篇（八首）

一九二〇，五，一——三，在紹興。

我來不聞柯亭底笛聲；*
只見森森萬條竹，
推擬「雲骨」底瓏玲。**

* 藝文類聚引伏滔底蔡邕長笛賦序：邕宿柯亭，柯亭之館以竹爲椽，仰而盼之曰：「良竹也。」取以爲笛，音聲獨絕，歷代傳之。

** 柯巖傍有怪石峰一，有鐫字題曰「雲骨」。

在柯巖

流水彎彎的，聲何蕭條？
春山竹樹多，斜日已高。

右蘭亭

雨灑白藤，朗朗如玉，
放翁在麼？同來躑躅！

右快閣（宋陸游之舊居。）

野花染出紫春羅，
城郭汪河都在畫圖：
萋眼千山雲白了，
如何？如何？

右會稽山香爐峰

遠眺如明鏡映着翠屏風；
近看有千玲百瓏，
幽奇靚麗羅心胸。

右繞門山東湖

牛郎花，黃滿山，
不見冬青樹，紅杜鵑兒血斑斑！

右南宋六陵

方柱歪在天半腰，
兩塊蝦蟆大石，有殿號靈霄；
垂垂都要掉！

右狗山

白象鼻，青獅頭，
上垂嫋嫋青絲蘿；
大魚潭底游。

右水石蕩

十，廿一，杭州。

二　京口三山篇（六首）

一九二一，八，十，鎮江。

不見青山只見寺，
那裏是？那裏便是！

右金山江天寺

瓜洲一綫如裙帶，

山色蒼蒼江色黃；
爲什麼金山躲了水中央？

右金山塔頂

翠嶂斗擁黃流前，
江上何來如此之飛仙？

右焦山遠望

到夕陽樓上；
慢步上平岡，山頭滿夕陽。

右焦山夕陽樓

左擁，右抱，金和焦；
下有慣洗人間幽恨的，
長江上下潮。

右北固山甘露寺頂

樹蒼蒼，在峭巘，
仰頭——樓閣微微纔可

右甘露寺絕壁下

一九二一，十，廿二，杭州。

心

一旦大地上有了玫瑰花，
安琪兒微微醉了。
「可愛喲！我去擷了她。」
神只默着：
「不可！
她們沒有心，
你底心將爲[illegible]們碎了！」
「我忍不得了，
實在眷戀那人世底花。」
……………
「然則——你去罷！」

神底話眞不錯；
花們已把他心掐了去，
擷花的手還張着呢。
原來玫瑰花下蟠伏着大蛇！

魂魄銷融在玫瑰花兒下，
他永不返他白雲底家。
神高高的，高唱挽歌，
安琪兒們悽愴的聲音：
『吾心歸來呀！
從人間，歸來！』

一九二一，十，廿四，杭州。

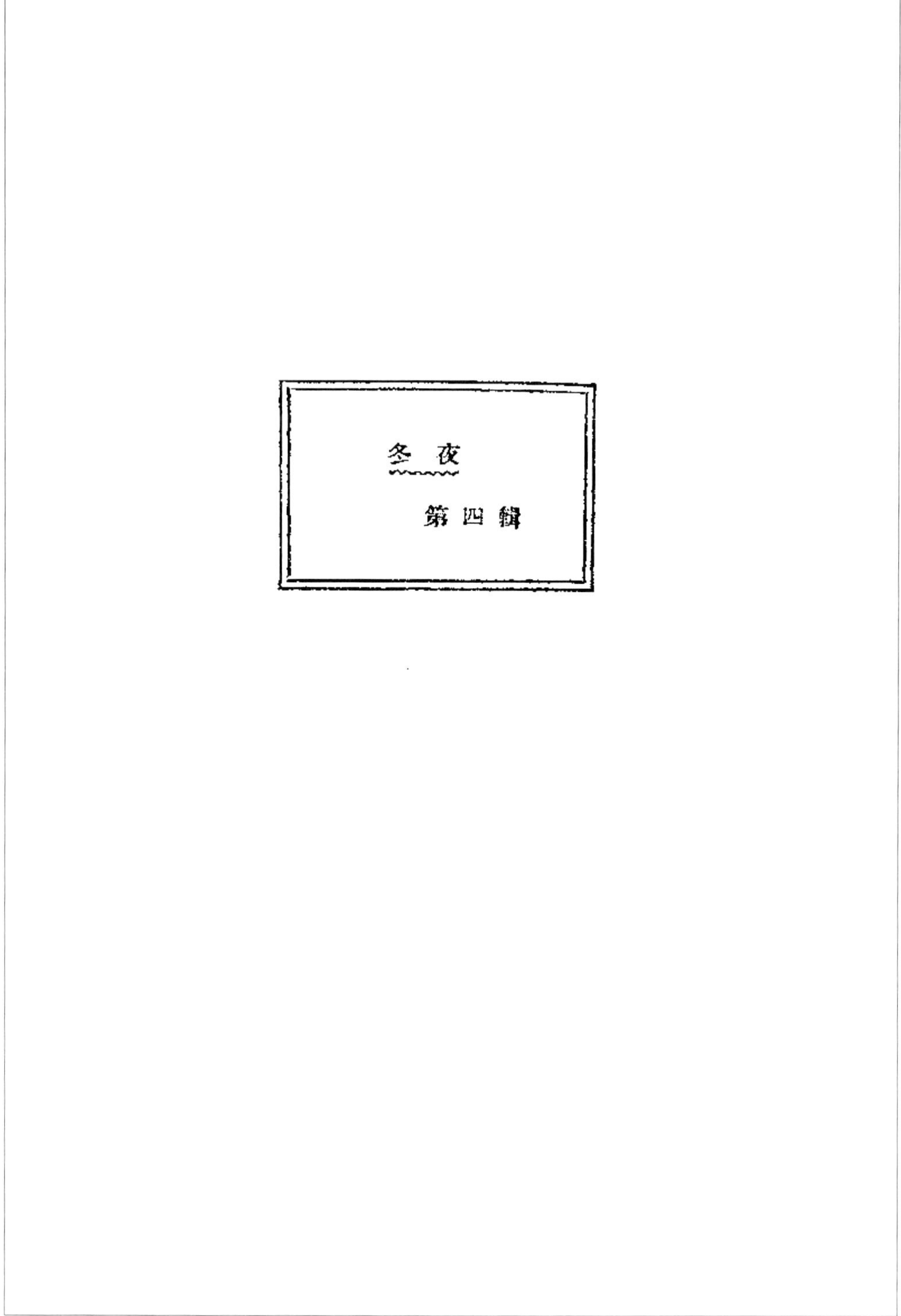
冬夜
第四輯

打鐵

「張打鐵，李打鐵，」
我打鋤頭你打刀。
叮叮噹，叮噹噹！

我打鋤頭去種田，
你打刀來爲什麼？
我打刀，你能管？
我管你不得！
打刀去殺人！
看刀能殺我！
殺啊！
殺——罷。

刀口碰在鋤耙上，

刀口短了鋤耙長。

明天農夫們在田裏，
大家嚷嚷地：
「拿我底鋤頭來！」
「拿我底鋤頭來！」
啊！刀竟被他們忘却了。

鋤頭親遍地母嘴，
刀頭喝飽人間血！
打鐵的人那裏去了？
他知道嗎？歡嗎？愁嗎？

有朝刀口再碰在鋤耙上，
迸露血肉底火光，
刀口短了鋤耙長。

大家肩着鋤頭來；
天亮了，大亮了！
刀將永被人們忘却了！

一九二一，十，廿八，杭州。

挽歌 十首

一

鞭兒打馬馬兒走，
一走走到西門頭。
西門頭，多人烟；
西門外，多荒堆。
荒堆靑靑的一片，
不見人來只見草，
風來草拜聲蕭蕭。

二

爲什麼，從來沒有白骨返人間；
只聽大大小小，男男女女，
「邪許」*，「邪許」，抬出城。
抬出城，那裏去？
去到我家新墳頭！

邪音「ㄏㄤ˙」，許音「ㄏㄜˇ」。

三

青山不做放牛墩，
青山倒做眠牛地；
墳頭上家家哭，
青山頭上無人哭。
我來哭哭罷！

四

山坳裏有墳堆，
墳堆裏有骨頭。
駿骨可招千里駒；
枯骨頭，華表巍巍沒字碑，
招甚麼？招個——呸！

五

活人餓殺快，
好田好地去埋死人。

死人底骨頭還沒爛掉，
活人已跟着死人跑了。
等着！我們一旦死了，
我們或者也要抖*了，
大搶將來人們底飯吃。

*抖，闊綽之意。

六

我們到底──
愛活人呢？愛死人呢？
愛死的勝于活着的呢？

七

新鬼們呦呦的叫，
故鬼們啾啾的哭；
我來聽──樹顛草上，悉索索。

八

生前何英靈，死後何寥寂！

招君底魂歸來啊，
委弃君底朽骨。

九

『今人犂田昔人墓！』
『百年田地變荒墳！』
詩人底詩啊，
歌者底歌啊，
你倆底心啊！

十

小後山前白胡蝶，
樸來一手紙錢灰。
沾我衣，飛不去，
人間沒有路哩！

一九二一，十，廿九，杭州。

起來

說你無知，
你莫要怪！
你怎麼不起來？
起來！

——一九二一，十，廿九，杭州。

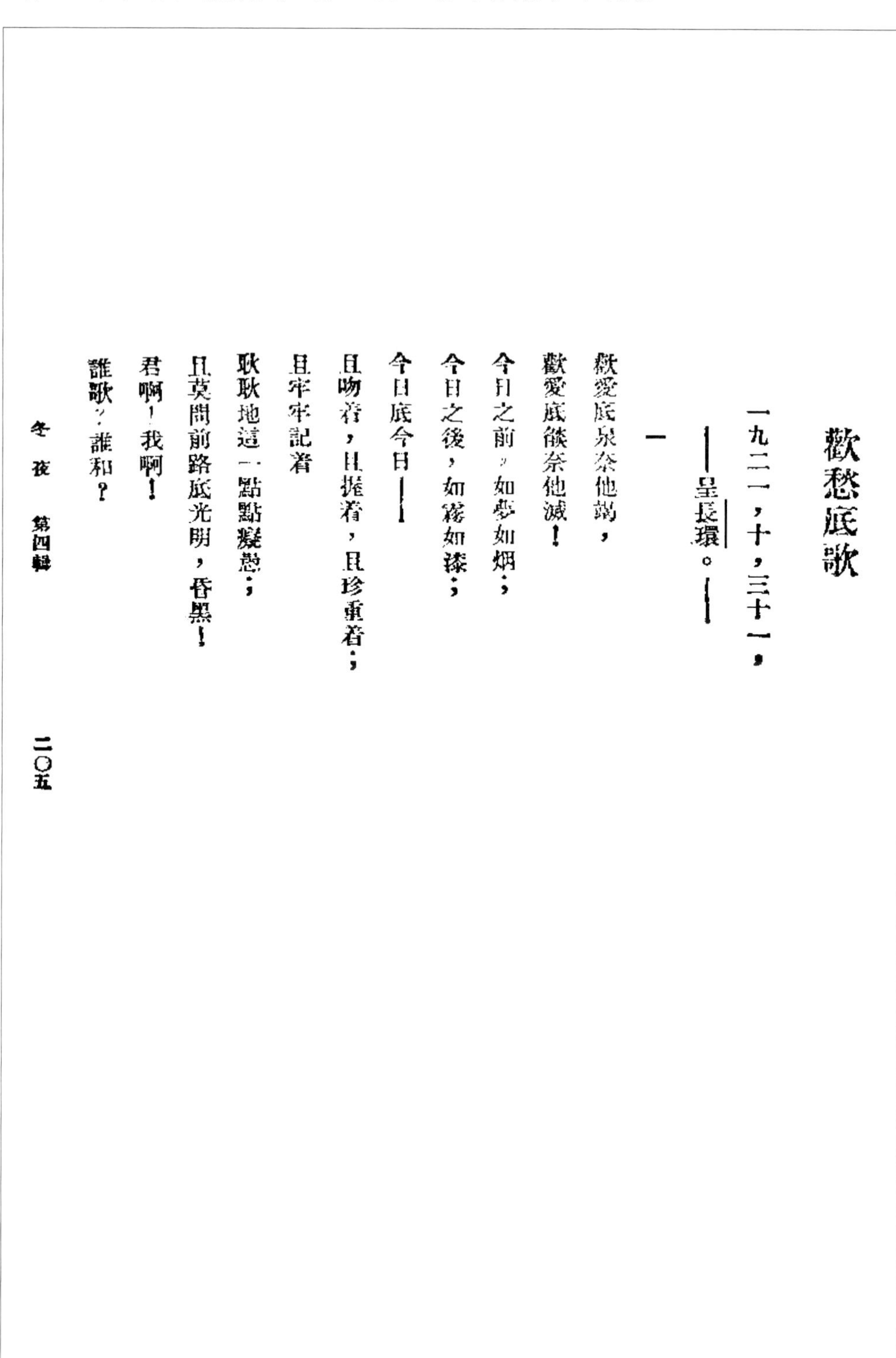

歡愁底歌

一九二一，十，三十一，

——呈長環。——

一

歡愛底泉奈他竭，
歡愛底筱奈他滅！
今日之前，如夢如烟；
今日之後，如霧如漆；
今日底今日——
且吻着，且握着，且珍重着；
且牢牢記着
耿耿地這一點點凝思；
且莫問前路底光明，昏黑！
君啊！我啊！
誰歌？誰和？

且歌！且和！

大家歌，大家和啊！

* *

「你和我把門來開！

你和我把門來開！

歡情底根蒂，我向懷中來。

在懷中，有凋謝；——

願是把馨香消散！

哀！……哀哀！……」

二

假滔滔的水，

舊愁棄我們去了；

假疊疊的山，

新愁呢，向着我們來。

四年之前愁未生，

四年之間愁初生，

四年之後愁將長成。
愁長成，將奈何？
你和我！
打破——無這力啊，
[illegible]——無此心啊；
只吻着，只握着，只珍重着，
只默默的忍着。
忍着，忍着，
愁將老死，將終于老死。
我們唱愁底挽歌，
獻所生底挽歌。
君啊，我啊！
誰歌？誰和？
且歌！且和！
大家歌，大家和啊！

* *

「你和我把債來賒！
你和我把債來賒！
賒來的離憂，大啊大如海。
大如海，會枯乾；——
願長把愁雲吹散！
哀！——哀哀！——」

歸路

前日夢中得句『獨立山頭鬧杜宇，冷月三更無處歸。』醒來頗怪賞之，以爲有鬼氣。今天枕上，雜採楚詞山鬼之意爲足成之。

高山正蒼蒼，
大野正茫茫，
黃鶴底故鄉！
黃鶴何時返他底故鄉？

黃鶴去得遠遠，
我身走得緩緩。
你爲什麼來得這麼樣晚？
你爲什麼來得這麼樣晚？
密箐荒榛路艱難！

我想去叩天門，
上有白雲底皚皚；
我想來返人寰，
下有荊棘底漫漫。

獨立山頭天又晚，
四山底杜鵑，叫得聲聲哀。
「冷月呀，三更，
你將沒處歸！」

一九二一，十一，二，杭州。

一勺水啊

好花開在汚泥裏，
我酌了一勺水來洗他。

半路上我渴極了，
竟把這一勺水喝了。

好花開在汚泥裏，
一勺水在我底胃裏。

請原諒罷，寬恕着罷！
可憐我只有一勺水啊！

一九二一，十一，二，杭州。

別後的初夜

——呈長環君于上海。——

被窩暖暖地，
人兒遠遠地；
我怎想不起人兒遠呢！

你飛跑？
你安睡了？
且一定和往常一樣的安睡了！

你為什麼悄悄然？
不錯！睡着了。
明天見罷！

今夜不聽瀟瀟的雨聲，
你睡興也一樣的甜甘嗎？

我迷離在夢兒間，
你長伴我在夢兒邊。

雖初冬底夜長，
太快了，來朝底天亮！
他將消失我清宵底戀鄉。

天匆匆的亮了，
你匆匆的遠了，
方才眞遠了！

盼你來罷！
盼夜來罷！

我也盼長夜底來歸啊?

一九二一，十一，三，夜，杭州。

最後的洪爐

風扇着，
火竄着，
頑鐵只去看着。

風扇着的說，
火竄着的說：
「最後的洪爐了，
你來試試能！」

風還扇着，
火還竄着，
頑鐵向洪爐中跳躍着。

——頑鐵君！

你將怎樣了？

你應該怎麼樣啊？

——一九二一，十一，七，杭州。

可笑

俗歌中有詞氣鄙俚，而意思却很深遠的，我去年冬在杭州城頭巷閒步，偶見牆上有粉筆塗抹痕跡，鄙謬之中，有一首獨妙，我頗欣賞之，原文如下：

「高山有好水，平地有好花；家家有好女，無錢莫想他。」這裏所代表的意思，至少有兩層：(1)言天地間之多才；故在山有好水，在地有好花，在家家則有好女。(2)但高山之好花，平地之好水，爲人人所能接近；至于家家之好女，不但非有錢不可得見，且非有錢不可得想。人世底買賣婚姻制度，已被他一語罵完了，尤妙在詞氣能出之以和平，此爲歌謠底特色。我今天在旅舍枕上，忽憶及此謠詞，即譯爲此詩。詞句雖多至數倍，而溫厚蘊藉之處恐不及原作十分之一。讀者如以我爲原作底介紹人或可藏我之拙。

一九二一，十一，九，在常熟記。

清溪迴着，大瀑挂着，
涓涓的伏溜山縫裏滴搭着。
在山，是流泉；
出山，是流淚了！
去還人間底淚債罷！

＊　＊

菜花黃了，荷葉綠了，
楓丹了，桕紫了，
臘梅又黃了。
小小的一個江南，
已爛縵到不可言說；
其餘呢，正異樣的爛縵着，

且一般的不可言，不可說。

地母分她底妝，
山靈陪他底淚，
去到灰色的人世。
豈有所爲麼？
豈無所望麼？
但誰能嘗得他倆底愛重，
更有誰能慰他倆底心呢？
是我們！
着啊！眞是我們嗎？

以山靈底淚，
潤我們底吻；
借地母底妝，
飽我們底眼。

自然姑娘，她怎樣的惠我們啊！
但人間底她，她呢，
正在羅綺裏裹着，
閨閣中埋藏着，
待善價而沽之呢！

拿你底錢袋來，
拿你底錢袋來娶了她！
竟遺棄愛美的心，悲哀的情了！
這是人間應有的聲音嗎？
這是人間不應有的羞恥嗎？

山靈哭了，
泉又湧了；
地母怒了，
花又發了；

——自然姑娘笑了，
—她笑可笑的人們哪！

被譏笑的，被憤怒的，
被哀悼的，
他又當怎麼樣呢？
哭着，怒着，
最不得已去笑着。
可以笑嗎？可以的！
笑可笑的我們哪！
這或勝於漠漠然的，
但又奈何這些終于漠漠然的！

不解與錯誤

紅月季，開着花，在山裏，
曾覺着孤寂罷。
大約是的！

我來呢，輕輕地握着，
她已先低頭了。

我想慰她底孤寂，
她偏獨自去零落，
這將使我不可解了。

她或恨我底自私，
我也怨她底負心。
她已悞，我已錯。

錯是錯了，
不解只是不解了！

不解所以錯了，
不解就是錯了；
這或然是啊！

我錯了！
我將終於不解了！

一九二一，十一，十，常熟，尚湖舟中。

願你

願你不再愛我，
願你學着自愛罷。
自愛方是愛我了，
自愛更勝于愛我了！

我願去躲着你，
碎了我底心，
但却不願意你心爲我碎啊！
好不寬恕的我，
你能寬恕我嗎？
我可以請求你底寬恕嗎？

你心裏如有我，
你心裏如有我心裏的你；

不願把我怎樣待你的心待我，
願把我願意你怎樣待我的心去待我。

一九二一，十一，十一，夜，蘇州。

別與歸

片片的黃疇，
條條的綠港，
移動我一雙痛眼，
似有多年底別了！

人間是我底故鄉，
怎又覺得「回來了」呢？
生分的我啊！

一九二一，十一，廿四，滬杭車中。

北歸雜詩 共十四篇

一 白

人們穿件白布衫，
羊們披條白氈罩；
分不出的誰底白，
只眼下——
萋然黃然一片初冬底野。

* *

雖怪可思的，也怪可愛的；
但在那裏呢？
但在那裏呢？

一九二二，十一，二十八，杭滬途中。

二 上海底曉

黑的夜，長得可怕，
戒行的客人焦着，煩着。

偶從門外射來的燈光下，
看見表底針指着晨七時了。
見慣了窗上底微明，
今天頓然的不見，
彷彿夜七時呢！
我，哀悼上海市的鄉下人，
更深感着不安了。

*　　*

起來！
把電鐙撚着，白得洋洋地。
洗臉，漱口，都完了，
七時半了，八時了；
電燈白洋洋的，
小窗灰影影的。

*　　*

照映着人們底光，

享樂着人們底力、
不愧二十世紀的上海市。
但上海啊，
一切的姊妹市啊，
你們至少將失掉慈母底擁抱了！
你們底光榮，
你們底不幸，
不幸的光榮啊！

一九二一，十一，廿九，晨，上海旅館。

三 飯時

隔座的客人，
他知道正午哩，
把雞和飯吃得高興的很，
吃得熱騰騰的。
我看着，
傍邊一個十來歲紅着臉的孩子也看着。

* *

餓人底動作，
本難解我心中底空虛；
且在孩子底一雙睜大的眼裏，
明明有一盤很好吃的，熱騰騰的飯哩！
又使我添上幾分空虛了。

四　引誘

顛簸的車中，孩子先入睡了。
他小手抓着，細髮覆着，
於是我底頭頻頻迴了！

五　望虎丘之一

我倆前在冷香閣，
閒看列車底西去；
今天，我乘西去的車望虎丘，
想像冷香閣裏還有誰呢？
更想起杭州的你。

你可知道，我因虎丘而想到你嗎？
你可也有時候，
從其餘的，其餘的，……
想到我嗎？

六 望虎丘之二

我讀清嘉錄，
想虎丘昔日底繁華；
我過蘇州站，
見虎丘今日底寂寞。

七 三塔

虎丘塔，肥的筍；
錫山塔，截了頂；
金山塔頭，插枝針。

八 將別

我未渡揚子，
先傍揚子而西；

黃的已多了，
綠的已少了，
窗兒外，起伏着衰草的丘陵。
人未去江南，
江南底意思，消了！散了！
我挽不住火車底跑，
只聽到自己默然的一聲長歎息。

一九二一，十一，廿九，滬甯道中。

九　山東底曉

朝陽霧遮了，
羣山睡了，
喚不起了！
汽笛那時，嗚嗚的叫。

*　　*

滲着天東方，
一片雜亂的玫瑰明霞，

我才覺到山東底曉。
汽笛那時，嗚嗚的叫。

十　冬蠅

北風儘呼呼着，
蒼蠅儘嗡嗡着，
釘在我手上，我底臉上。

* *

我底寬恕夠了！
蒼蠅底腿，最後的一抖，
從此不再抖了！

* *

夏日底蠅可厭，
冬日底蠅可憐；
怎也動我底煩厭呢？
情感底不可理解，
或當如是罷！

或者只我底情感如是啊！

十一　泊頭鎮之一

列車斗的寂然，
到那一站了？
我起來看看。

·　　·

路燈上寫着「泊頭」，
我知道，到的是泊頭。

·　　·

過了多少站，
泊頭底經過又非一次，
我怎麼獨關心今天底泊頭呢？

十二　泊頭鎮之二

「八毛錢一筐！」
賣梨者底呼聲。
我渴極了，

却沒有這八毛錢。

*　*

梨始終在筐子裏，
現在也許還在筐子裏，
但久已不關我了，
這是我這次過泊頭，最遺恨的一件事。

十三　泊頭鎮之三

日色捲薄了，
灰沙捲旋了，
野迷離了，
樹擺搖了，
巡警底臉背轉來，黑了。

一九二二，十一，三十，津浦道中。

十四　到家了

賣硬麵餑餑的，
在深夜尖風底下，

這樣慢慢地吆喚着。

我一聽到，知道「到家了」！

一九二一，十二，一，北京。

回音？

上路的樵者們，
偏有荊棘去礙着。
怎樣的荊棘！
又怎樣的「無可奈何」！

「來啊！
向着我，碰着我；
你輸了，不然，我輸了。
最後的，這一局，未可知哩！

即使可知呢；
但健者們先擲下孤注去，
你何妨追隨着，
反正失敗這一次就是。

你一躲着，
便無形的先跪下了，
且已甘心如此了。
去罷！我倆不必再賭了，
慢慢的走，去你底罷！」

荊棘底誘惑；
樵者們都聽見了嗎？
將如何說呢？

像這般愚幼的我
先被了誘惑，當然！
但入局的聰明人，
也作同一的回答嗎？

很不能揣想，
他們底回音，是個什麼？
你且說你底，回音應該是什麼？

一九二一，十二，五，北京。

所見

騾子偶然的長嘶，
鞭兒抽着，沒聲氣了。
至於嘶叫這件事情，
鞭絲拂他不去的。

一九二一，十二，九，北京。

客

我北歸，
我又要南歸
歸來底中間，
把故鄉掉了！

一九二一，十二，九，北京。

夜月

疏疏的星，
疏疏的樹林，
疏林外，疏疏的燈。

在冰一樣冷的夜，
在冰一樣清的夜，
誰寫了這幾筆淡淡的老樹影？

月背了我；
北風迎我
在面上，悄無聲的打我。

燈火漸漸的稀少，
送來月色底皎皎；

但眼先微微的倦了！

歲已將晚，
月已將圓，
人已將去此。

一九二一，十二，十一，北京。

兩年之後

一

無盡的意，
待盡的長宵，
半月來燈前絮語的光景，
將匆匆別我去了。
待縈住罷，待挽住罷；
晨星已寥寥，
曙色已皓皓，
月呢，已淡淡的斜，
雞呢，已高高的叫。

二

還是冷霧籠着，
還是冷淚搵着；
但兩年之後了。

三

去了，去了！
我沒說什麼，
就這樣的去了！

四

他雖飄零慣的；
但在慈母底心頭，
愛子底飄零總是須悵惘的。
他因此也悵惘着了！

五

昨夜的燈前，
今夜的燈前；
回想好無味的，
況且回想還沒有成呢！

一九二一，十二，十九，去北京，津浦道中作。

病中四首

在杭州患目疾作。

一

長途的倦客，
休息當然需要的；
但我呢，將上路的我，
也給了幾分的休息。
暗底悲啊！暗底悲麼？

二

摸索底中間，
只賸了幾方尺的世界。
聲音，遠和近，
都似來從這世界之外，
幾尺之外罷！
在幾尺之外呢？

三

我眼病了，
我方才有眼了；
但人們病着眼，
也覺到有人們嗎？

四

遮斷了太陽，星星們，
也遮斷了鷄鳴底叫音，
我不忍呪詛這微睡的神。

一九二一，十二，廿八，杭州。

中華民國十一年三月出版

冬夜（全）

每册定價六角

外埠酌加郵費

著者 俞平伯

發行者 亞東圖書館 上海五馬路棋盤街西首

印刷者 亞東圖書館 上海五馬路棋盤街西首

分售處 各省各大書店

胡適文存

全書由胡先生親自編定，分爲四卷。

有的文章是發表過而修正的，有的是不曾發表過的。

「沒有一篇不用氣力的文章，沒有一句自己不深信的話」。

△卷一，論文學的文

△卷二與卷三，帶點講學性質的文章。

△卷四，雜文。

洋裝兩册兩元八角

平裝四册兩元二角

亞東圖書館發行

加新式標點符號分段的

古本西游記

現在市上通行的本子，不是完全的，是刪節的。這個古本是依據乾隆本翻印的。全書比今本約多十分之二三。

新叙 胡適之先生

新叙 陳獨秀先生

（全書一千餘頁）

｛定價｝

洋裝兩册三元二角

平裝四册兩元五角

上海，亞東圖書館發行

吳虞文錄

先生知道孔子之道何以不合現代生活？先生對於孔教懷疑到什麼地步？不可不看吳又陵先生的這部集子。

這部集子裏的文章，大半是對於孔教的討論和批評。他是用實際的效果去批評他的。他的方法是最嚴厲，而又最和平。

全書一冊定價三角

亞東圖書館發行

THE ORIENTAL BOOK COMPANY
¥1.20